D0000486

Romualdo
Cuentos, cuenterailes y cuenteretes
Eduardo Villatoro

Eduardo Villatoro

ROMUALDO
CUENTOS, CUENTERAILES Y CUENTERETES

F&G editores

COLECCIÓN EL SOMBRERÓN
1

Romualdo
Cuentos, cuenterailes y cuenteretes
Eduardo Villatoro

© Eduardo Villatoro
© Esta edición F&G Editores
Ilustración de portada: *El Campesino*, Kazimir Severinovich
Malévich.

Impreso en Guatemala

F&G Editores
31 avenida "C" 5-54 zona 7,
Colonia Centro América
Guatemala
Telefax: (502) 2433 2361
informacion@fygeditores.com
www.fygeditores.com

ISBN: 978-99922-61-75-0

Guatemala, julio de 2008

Breve epístola introductoria

Mi dilecto Waito Biatoro (tu nombre por mí estilizado en el fragor de escaramuzas periodísticas):

He preferido dirigirme a vos, y no a tus lectores; en primer lugar, porque a ellos no los conozco, aunque puedo imaginarlos, y, luego, porque sos el primer interesado, por el momento, en enterarte de una inicial impresión sobre tus relatos, cuentos, cuenterailes (y otros cuenteretes) de parte mía.

De lo que se trata, en este caso, es de introducir a otros, o introducirme yo mismo, hasta donde quepa, en los sucedidos o aconteceres que referís, a manera de preparación o prevención al lector, ante escenarios imprevisibles, pero en los que casi cualquiera puede verse envuelto o expuesto, con o sin su voluntad.

Me gustaría ir al meollo, Wayito Biatoro, pero sucede que en la lectura de una treintena de textos diversos, tipo miscelánea y variada temática, nos encontramos con cuentos hechos y derechos, anécdotas reales o fingidas, chistes a lo Don Chevo, casos debidos al acaso, ocurrencias que ocurren en el terruño evocado... y entonces lo esencial se haya disperso y atomizado, a modo de una exposición de cuadros en los cuales se esboza a una sociedad abigarrada, pluri y multi en todos sentidos, como los guatemaltecos.

Te propusiste no espantar ni turbar el ánimo del lector; mas bien, con el fin de que duerma tranquilo y que no tenga pesadillas inducidas –ya bastante tenemos con las notas rojas y/o políticas en los diarios y noticieros–. Al contrario, tus textos son digeribles y digestivos, de entretenimiento *sano*, de heterogénea gama, sin escabrosidades ni truculencias al uso, porque para estar a la altura de los tiempos, según cierta perspectiva efímera, en complicidad con el mercado o la oferta y la demanda, hay que darle de beber sangre caliente al leyente, convertirlo en coautor de asesinatos en serie y de la más incestuosa pornografía, con ribetes voyeuristas y onanistas.

Por cierto, tal como me lo imaginaba, aflora la diversidad de lances y andanzas del mentado Romualdo, ese que, entiendo, es tu ego alternativo; ese ubicuo, multifacético, milusos, multiforme y talla única; personaje que vive introduciéndose, también, en los zapatos, botas, tenis y caites de casi toda la flora y la fauna con apariencia humana, cumpliendo así, lúdicamente, con el aserto goethiano de que nada humano le es ajeno. Aunque después de la parranda en que se vio envuelto, con añadidura de un zapato en calidad de cuerpo de delito, comprendo que Romualdo todavía anda curándose de las infringidas escaldaduras conyugales, pero aun así está para nuevos y pecaminosos trotes, de la índole que fuere, como se demuestra en el libro, aunque se escabulle en una par de cuenteretes.

Sin menoscabo alguno de tu narrativa, el lenguaje que usás es el convencional, sin complicaciones estilísticas o experimentales, de fácil lectura y asimilación, con visos de la tradición picaresca chapina, en lo que lo anecdótico, el hecho curioso o suceso incidental, adquiere igual relevancia que las palabras utilizadas para relatarlo, y que cabe en la sociología urbana guatemalteca. O sea que relato y relator van de la mano; con objetividad, podría decirse.

Sin otro particular, por el momento, mi bienquisto e inquieto Wayito Biatoro, aquí la corto por lo sano.

René Leiva
Enero de 2008

CUENTOS

COMPRAS A PLAZOS

UNO

El bachiller Martín Romualdo Torres Paredes tenía suficientes motivos ese mediodía para estar jubiloso y satisfecho.

Después de hacer acopio de mucha paciencia y de cavilar largamente acerca de la forma como podría solucionar el problema que afrontaba con don Pancracio Méndez Rodas y la empresa que representaba, finalmente había logrado salir avante, como en otras ocasiones, sólo que esta vez tuvo que ceder parcialmente en la negociación; lo que jamás le había ocurrido antes.

Es que el señor Méndez Rodas tampoco era un cobrador del montón, de esos a los que Martín estaba habituado a soslayar, sino que, viejo empleado de la firma "De la Palma Sucs.", con sus setenta años a cuestas y cuarenticinco de trabajar en esa empresa que vendía mercancía a plazos y cuya clientela la integraban mayormente empleados públicos de cualquier jerarquía, aunque especialmente de los mandos medios para abajo, conocía todas las artimañas de las que se valían astutos burócratas que intentaban, casi siempre infructuosamente, incumplir los compromisos que habían adquirido previamente.

El bachiller Torres Paredes creía ser la excepción y en eso pensaba cuando disfrutaba de un aperitivo, antes de que le sirvieran el almuerzo en el comedor donde, para ser fiel a su método, le daban fiado.

Martín prestaba sus valiosos servicios desde hacía varios años en el Ministerio de Agricultura, Ganadería y Alimentación, y durante los meses anteriores había estado asignado en una oficina del edificio central de la Dirección General de Tierras Ociosas, que, valga la ocasión para anotarlo, sus empleados hacían honor al nombre de tan inactiva dependencia estatal.

Para ser objetivos en la apreciación del bachiller Torres Paredes, es preciso indicar que una de sus poquísimas habilidades consistía en que tenía muy buena letra, de tal suerte que su reputación caligráfica había llegado a oídos de sus superiores, que acudían a Martín cuando era pertinente entregar una diploma de honor al mérito a cualquier empleado que se lo merecía, ya fuere porque se jubilara o porque cumplía determinados años de servicio, o quizá porque había obtenido un triunfo deportivo, cuando no de carácter literario.

Ahí estaba el bachiller Méndez Paredes para que, con sus estilizadas características, escribiera las letras, palabras y frases de encomio en el pergamino que, justo es consignarlo, solía entregárselo el jefe de la dependencia al homenajeado durante un acto especial.

De igual manera, como Martín se ufanaba de esa insólita habilidad suya, también hacía todos los esfuerzos imaginables para ocultar su permanente situación de lipidia, lo que lograba ante personas que no fueran de su entorno laboral y familiar, puesto que siempre vestía con pulcritud, y de su esbelto cuerpo emanaba un fragante aroma de loción de regular calidad. Vestía trajes de casimir, manufacturados en el país, pero de buen corte, y sus camisas no permitían arruga alguna, en tanto que sus zapatos brillaban de limpieza.

Dos factores permitían al bachiller Torres Paredes mantener su *status quo*, como solía decir: soltero por convicción, cuando estaba por rebasar los 40 años de edad, y fanático comprador a plazos de cualquier objeto, por decisión propia.

Todo vendedor que tuviera la suerte o la desventura, según la perspectiva desde que se le vea, de entrar a la oficina donde Martín cumplía sus limitadas funciones, salía satisfecho porque había realizado una venta, aunque sin recibir ni siquiera el enganche, aunque sí las persuasivas promesas de pagos, siempre y cuando, por supuesto, se tratase de objetos cuya transacción no requiriera de la participación de fiador alguno, pues no había ninguna persona a varios kilómetros a la redonda, muchos menos compañeros suyos, que tuviera el más remoto deseo de avalar la deuda de su colega burócrata.

No había mes en el que Martín no adquiriera un par de zapatos, una corbata, un reloj, un radio a transistores, un juego de sábanas o un mantel de comedor, una enciclopedia. Cualquier cosa.

En abono del bachiller Torres Paredes debe precisarse que no se interesaba únicamente por prendas de vestir para su uso personal, sino que también se esmeraba por comprar aparatos electrodomésticos o ropa de cama, pues tenía una auténtica devoción por su madre, con la que vivía, y de ahí que no era extraño que adquiriera vestidos y zapatos de mujer, cuando no joyas de fantasía, con la única y sacrosanta condición de que los objetos los vendieran al riguroso crédito.

DOS

Un día lunes, antes de las 8 de la mañana, cuando Martín llegó a la oficina mucho más optimista que de costumbre, un vendedor tuvo la ocurrencia de asomarse con su mercancía, difícil de vender, para hacer honor a la verdad, dadas las características del objeto; pero no imposible cuando existen clientes que no reparan en minucias, como el caso del bachiller Torres Paredes.

Con sólo verla, el amistoso rostro de Martín, partido horizontalmente por una esplendorosa sonrisa e iluminada por sus brillantes ojos negros, el ingenuo vendedor se le aproximó, para exponerle las dudosas virtudes de su mercadería al potencial y agradable comprador que tenía frente a sí.

Huelga advertir que no era preciso que el vendedor (Jacinto Navas de la Peña, como se presentó ceremoniosamente ante su interlocutor) abundara en detalles, para que el burócrata de medio pelo quedara encantado con la idea de hacer otra valiosa adquisición.

Don Jacinto vendía nada más y nada menos que barómetros de singular interés. El artefacto, que colgado en una pared, hasta podría considerarse un elemento decorativo de la sala de visita, tenía sus complementos. En primer lugar, estaba primorosamente colocado en un marco de "puro cedro labrado", según lo subrayó altisonantemente el entusiasta vendedor; en la parte superior observaba desde lo alto un reloj eléctrico "made in Swiss", como también lo precisó don Jacinto, para evitar cualquier equívoco, y en el extremo inferior un "almanaque eterno", de acuerdo con la engorrosa fraseología empleada por el marchante que, para entonces, ya tenía alrededor suyo a los compañeros de Martín, quien atendía embobado las prolijas explicaciones del enjuto mercader.

En resumen, el feliz poseedor de tan extraña máquina, además de que en un abrir y cerrar de ojos podría establecer la temperatura ambiental, sabría con precisión digna de un árbitro de fútbol la hora justa, y estaría permanentemente enterado de la fecha y el día de la semana, sin necesidad de estar renovando el calendario anualmente.

Martín no osó poner alguna objeción a las contundentes palabras de don Jacinto y ni siquiera le prestó atención a los detalles relacionados con las amortizaciones de pago. Apenas se fijó en el precio. En pocos minutos, comprador y vendedor cerraron el trato, con un fuerte apretón de manos, de suerte que Martín se convirtió de repente en uno de los poquísimos y raros habitantes de la ciudad que podía enorgullecerse, con toda razón, de poseer un "barómetro-reloj-calendario" de pared.

Mientras se ultimaba la compra, don Jacinto le contó en voz baja y confidencialmente a Martín que tenía un colega que estaba vendiendo "casimires ingleses traídos de contrabando", y que justamente a causa de esa pequeña evasión fiscal, eran más baratos que el precio de mercado.

Cuando don Jacinto se retiró, Martín quedó embelesado viendo el aparato que había adquirido. Los demás oficinistas tampoco permanecían ajenos al extravagante objeto, aunque algunos sonrieron con sabia discreción, en tanto que otros, incapaces de guardar la compostura, celebraron con sonoras carcajadas la adquisición del bachiller Torres Paredes. Pero María Eugenia, la secretaria del subjefe, una mujer cincuentona de rostro circunspecto y ademanes recatados, con cierta pena que no quería dejar traslucir, recriminó al compulsivo comprador:

—Pero, Martín, ¿cómo puede usted ser tonto al comprar ese bendito aparato? Aunque en realidad no tiene importancia y no debería importarme, lo que en realidad no comprendo es su enfermizo hábito de adquirir todo lo que le vienen a ofrecer...

—Mire, Sheny —le interrumpió—, en contra de lo que podría creerse, no es un acto egoísta de mi parte, aunque debo ser honesto en decirle que las cosas que compro satisfacen necesidades personales propias y de mi casa. Y cuando le digo que no es un gesto de egoísmo, es porque mi verdadera intención es ayudar a esas pobres personas que se dedican a vender a plazos o al contado en edificios, plazas, residencias y en cualquier lugar donde hay gente...

—¡No, no lo entiendo...!

—Déjeme explicarle, Sheny. ¿Sabe usted cómo inician su día esta clase de vendedores ambulantes? Pues se levantan ilusionados pensando en lo que venderán durante la jornada que les espera. Sobre todos los días lunes. Naturalmente que no suelen lograr sus propósitos con el primer cliente que abordan, y cuando no consiguen vender en el transcurso de las primeras horas de la mañana, sus ilusiones se truncan, desfallecen y se traumatizan psíquicamente.

—¿Y eso qué tiene que ver con usted?, replicó la secretaria.

—Precisamente a eso quiero llegar. Fíjese bien: cualquier vendedor viene a esta oficina un día lunes, temprano en la mañana, y me ofrece un objeto que posiblemente yo necesite. Yo le compro lo que me ofrece y al hacerlo lo estimulo e impulso a continuar con su trabajo...

—Eso está muy bien ¿pero qué pasa cuando llega el momento de hacer los pagos y usted se escabulle o decididamente no cancela lo que adeuda?

—¡Ahhhh eso es otra cosa! —sentenció Martín—. Lo importante es que yo cumplí con mi primera obligación moral: ¡les di esperanza cuando más necesitaban!

Martín dio por concluida la conversación y se dispuso a iniciar su fastidiosa actividad laboral.

Transcurrió la mañana sin ningún hecho digno de anotarse y después del almuerzo, como a eso de las tres de la tarde un extraño se presentó en la oficina. Preguntó por el señor Torres Paredes.

Martín se puso de pie, le tendió la mano derecha al desconocido, que no era más que el vendedor de "casimires ingleses traídos de contrabando".

Sin mayores contratiempos, el vendedor efectuó el negocio que consistió en la venta de tres cortes de tela, media docena de camisas "americanas", tres corbatas, cinco pares de calcetines y, de ajuste, un par de mancuernillas, todo lo cual alcanzó la suma de seiscientos quetzales, sin incluir los intereses, lo que significaba dos meses de sueldo del bachiller Torres Paredes, más horas extras.

El feliz poseedor de ese lote de mercancía firmó los documentos que lo comprometían a pagar puntualmente una suma determinada, casi mil quetzales, equivalentes a igual cantidad de dólares, por la paridad de la moneda nacional con la divisa monetaria norteamericana. Le dijo al vendedor que esperaba recibir la mañana siguiente en la oficina, lo que había comprado.

Naturalmente que así ocurrió y también llegó el día de pago.

CUATRO

A las 10 de la mañana de ese 31 de agosto la oficina donde prestaba sus valiosos servicios el bachiller Torres Paredes era la más concurrida de todo el edificio, y frente a su escritorio se encontraban de pie ocho personas.

Martín se dedicaba a garrapatear con números unos papelitos que, al terminar de escribir, dobló parsimoniosamente y los colocó en la copa del sombrero de uno de los acreedores, pues cabalmente se trataba de personas que iban por el pago de objetos que el bachiller Torres Paredes había adquirido por abonos.

—Por favor, guarden la compostura del caso, no hagan desorden –recomendó Martín–. Formen una fila y vayan sacando su papelito, para ver a quiénes les toca la suerte esta vez.

Todos, menos un hombre joven, delgado y de corta estatura, acataron las indicaciones del burócrata. Quien mostraba sorpresa por lo que estaba ocurriendo resultó ser el cobrador de la firma "De la Palma Sucs., Ropa para Caballeros, Importación

Directa", o sea la casa en la que el bachiller Torres Paredes había adquirido a plazos casimires, camisas, corbatas, calcetines y mancuernillas, y gracias a lo cual Martín era el prototipo de la elegancia en su oficina.

El joven cobrador, para no sentirse incómodo, se unió a la fila de personas que participaban en el singular sorteo, y, como los demás, también extrajo el papelito del sombrero y leyó su contendido.

—Bueno, señores —anunció Martín, con desenvoltura, después que le devolvieron los papelitos—, dos han sido los afortunados en esta oportunidad. Se trata de don Bernardo, a quien hacía rato que no le había abonado nada del juego de colchas que le compré, y el señor Fajardo, cuya buena estrella le persigue, pues ustedes recordarán que en la quincena pasada también salió favorecido.

Cuatro de los restante acreedores del bachiller Torres Paredes se retiraron discretamente de la oficina, menos un gordiflón vendedor de alfombras y el cobrador de la firma "De la Palma Sucs".

—Oiga, don Martín —dijo apesadumbradamente el gordo vendedor de alfombras—, yo mejor prefiero no seguir participando en los sorteos, pues nunca sale premiado mi papelito.

—Cuestión de suerte, mi amigo —replicó el compulsivo comprador—. Ya vendrá su oportunidad.

—Usted lo dice, pero mejor he decidido demandarlo judicialmente. Y se lo advierto ahora para que después no diga que no lo previne.

—¡Ahhhh, qué señorón éste! —exclamó el burócrata—. Déjeme contarle que no le conviene hacerlo, por varias razones. Primero, usted sabe que, según la ley, no hay prisión por deudas; segundo, mi sueldo ya lo tiene embargado mi señora madre, como simple

medida precautoria por riesgos como éste, y, finalmente, decididamente usted quedaría descartado
para seguir participando en los sorteos. Así que
mejor piénselo bien antes de cometer una tontería.

Frente a tan convincentes argumentos, al gordiflón vendedor de alfombras y otros objetos similares no lo quedó más remedio que callar. Dio la
media vuelta y salió de la oficina, seguido por el
cobrador de la firma "De la Palma Sucs.", quien a
estas alturas aún no le daba crédito a lo que acababa
de presenciar y en cuya actividad, dadas las pecu-
liares circunstancias, se había visto obligado a participar.

CINCO

Un par de meses más permaneció el bachiller Torres
Paredes en esa oficina, para totalizar cinco meses,
puesto que constantemente solicitaba que se le
cambiara de posición laboral, so pretexto de ampliar
sus conocimientos burocráticos, y lo que lograba
obtener gracias a que, en medio de todo, era buen
trabajador, además de que lo ayudaba su natural
simpatía y que tenía sus "agarres allá arriba", como
muy ocasionalmente lo mencionaba, con mal disimu-
lada modestia.

Por espontánea solidaridad, sus ex compañeros
de oficina solían negar cualquier información acerca
del paradero del bachiller Torres Paredes a sus hete-
rogéneos acreedores, lo que, además, se dificultaba
porque la Dirección General de Tierras Ociosas ocu-
paba varios edificios en la ciudad, según las sub-
divisiones de que se tratara.

Mientras que la mayoría de los acreedores de Martín llegaban a claudicar en sus inalcanzables metas, otros persistían en sus difíciles propósitos; pero quien se llevaba las palmas era, precisamente, el cobrador de la firma "De la Palma Sucs.", quien no cejaba en sus nobles empeños.

El caso es que, para entonces, Martín ya estaba instalado en su calidad de Oficinista III en la Sección de Registro de Fincas Rurales, ubicada en un inmueble situado en un barrio apartado del centro de la ciudad.

Naturalmente que el bachiller Torres Paredes proseguía aplicando su ardiente hábito de comprador a plazos y continuaba aplicando su individual sistema de pagos: siempre por sorteos. Sin embargo, lo que le desagradaba de la nueva oficina en la que prestaba sus servicios era que únicamente tenía puerta de acceso, de manera que afrontaba serias y espinudas dificultades al pretender escabullirse de algún impaciente e incomprensible cobrador.

Al igual que en las otras dependencias donde había laborado, en la Sección de Registro de Fincas Rurales, Martín se ganó de inmediato la amistad de sus nuevos compañeros de fatigas. Marrullero como era, también sabía compartir con sus recién adquiridas amistades, fuera de que en las reuniones sociales se convertía en la atracción festiva por su habilidad para bailar, tocar la guitarra, cantar y contar chistes de toda categoría ética y estética.

Prácticamente no se recordaba de sus acreedores, a los que creía haber despistado, de suerte que cuando menos lo esperaba le sorprendió la súbita visita de un sujeto malencarado que se identificó con el nombre de Pancracio Méndez Rodas, cobrador nada menos que de la firma "De la Palma

Sucs.". Era un hombre viejo, de unos setenta años de edad.

De inmediato, Martín sospechó que el individuo de rostro arrugado y nariz aguileña que tenía frente a sí, se trataba de uno de esos cobradores empecinados, por lo taimado de su oblicua mirada y el rictus de amargura de su ancha boca. Confirmó su recelo cuando se enteró, después de las sigilosas pesquisas que hizo, que el señor Méndez Rodas era el encargado de cobrarle a los deudores morosos, reacios y tramposos que intentaban evadir sus compromisos con el almacén que representaba.

Durante la primera visita, el experimentado comprador no tuvo mayores problemas para explicar su caso y como pronto se percató que don Pancracio no era uno de esos cobradores con lo que estaba habituado a negociar, ni siquiera intentó sugerirle que podría tener la oportunidad de participar en el sorteo, y de ahí que lo citó para una fecha posterior, mientras se le ocurría alguna idea que pudiese pone en práctica para evitar el pago.

Para fortuna de Martín, el jefe de la Sección de Registro de Fincas Rurales había girado instrucciones para que no ingresaran visitas de índole personal, de modo que los cobradores tenían que anunciarse y esperar en la alejada y atestada sala donde iniciaban sus gestiones los usuarios de la dependencia estatal.

El bachiller Torres Paredes pudo evadir al señor Méndez Rodas en la siguiente ocasión, negando su presencia; pero el cobrador no se fue de la sala de espera hasta después de las seis de la tarde, cuando el conserje del edificio lo obligó a que se marchara. Como don Pancracio había llegado a las 10 de la mañana, Martín no pudo salir a tomar su almuerzo en un comedor cercano.

SEIS

Al día siguiente, una hora después de haber iniciado su rutina laboral, el escurridizo burócrata se enteró de que en la sala ya estaba cómodamente sentado el señor Méndez Rodas, quien en vano preguntó por su deudor, que volvió a quedarse sin almuerzo. Lo mismo ocurrió el jueves, cuando Martín salió del edificio pasadas las 8 de la noche, al observar que el persistente cobrador se vio obligado a marcharse a su casa por la tupida lluvia que caía.

Torres Paredes supuso que el obstinado cobrador llegaría el viernes muy temprano a la oficina, para abordarlo a su ingreso al edificio, por lo que a las 7 de la mañana Martín ya estaba instalado en su escritorio.

Fue una larga jornada en la que se puso en juego la paciencia de don Pancracio con el nerviosismo de Martín, quien le había pedido a su madre que le preparara un par de sánguches y un termo de café, para aliviar el hambre del mediodía. Estaba a punto de darse por vencido, cuando se percató, a eso de las siete y media de la noche que el porfiado cobrador se había retirado.

Como era fin de semana, el bachiller Torres Paredes descansó sábado y domingo, pero no estaba totalmente tranquilo en su casa, esperando que de un momento a otro apareciera por ahí el temible cobrador.

Casi no durmió la noche del domingo. A menudo se despertaba sobresaltado, sudoroso, con el corazón palpitándole, hasta que pudo atisbar una solución a su grave problema. Ese lunes, 31 de mayo, se levantó temprano, y aunque con señales de desvelo en su rostro, no manifestó ningún signo de preocupación cuando se despidió de su madre y partió a su trabajo a la hora normal.

Al atravesar la sala de espera, vio con el rabillo del ojo derecho que allí estaba, impasible, el cobrador de la firma "De la Palma Sucs". Con la mayor naturalidad, como si se tratase de un viejo conocido, casi un entrañable amigo, Martín se acercó presuroso al señor Méndez Rodas, le estrechó afectuosamente la diestra y estuvo a punto de abrazarlo de no ser por la hosca actitud del cobrador.

El bachiller Torres Paredes le dio una breve explicación a don Pancracio, le aseguró que únicamente avisaría a su jefe que ya estaba en funciones y que regresaría a la sala de espera "para arreglar ese asunto tan molesto". El señor Méndez Rodas, al advertir la serenidad del evasivo deudor, no puso ninguna objeción y se sentó de nuevo en el gastado sofá.

Los compañeros de Martín se dieron cuenta del breve encuentro y la parca conversación que sostuvo con el cobrador, y no dejaron de extrañarse por la forma tan amable como el inveterado y evasivo comprador a plazos había tratado al malencarado individuo del que se estuvo ocultando durante los últimos días. Todos permanecieron a la expectativa de lo que estaba ocurriendo o podría suceder.

Una vez que saludó a su jefe y les echó una mirada de involuntaria complicidad a sus compañeros de fatigas burocráticas, Martín retornó a la sala de espera y se sentó al lado del abominable señor Méndez Rodas.

Uno de los empleados de menor rango de la oficina fue comisionado por sus compañeros para que, disimuladamente, observara lo que pudiera acontecer entre el reacio deudor y el perseverante cobrador, que conversaban animadamente. Minutos más tarde el bachiller Torres Paredes entregaba varios billetes a don Pancracio, ante la atónita y furtiva presencia del emisario.

A todo esto, también el jefe de la Sección de Registro de Fincas Rurales permanecía a la expectativa, porque había sido avisado del inusual acontecimiento, y al igual que sus subalternos, se extrañó cuando el comisionado que observó la escena relató lo que sus propios ojos habían visto: ¡Martín pagó voluntariamente un fajo de billetes, y con una ancha sonrisa dibujándole el pálido rostro!

El burócrata entró muy orondo de nuevo a la oficina, donde su jefe y compañeros lo abordaron de inmediato y le pidieron que les explicara su insólito proceder, pues para ellos la actuación de Martín constituía una evidente y vergonzosa claudicación a sus heterodoxos principios mercantiles.

El orgulloso bachiller Torres Paredes tenía suficientes motivos para pavonearse, en vista de que su dignidad estaba a salvo.

—El problema ha sido totalmente arreglado y la deuda finiquitada —anunció con visible alarde de autosuficiencia.

—¿Le pagaste los mil quetzales que le debías, de una sola vez? —exclamó uno de sus compañeros.

—He dicho que la deuda está finiquitada y que se trata de un caso cerrado –replicó Martín–. El señor Méndez Rodas, como es del conocimiento de ustedes, es el más terco cobrador de la firma "De la Palma Sucs.", de manera que le encargan los casos más difíciles. Como lo vieron, después de pensarlo toda la noche, hoy dispuse enfrentarme a él, para llegar a un acuerdo. Le pregunté qué porcentaje ganaba como cobrador en casos como el mío. Don Pancracio me confió que en esta clase de deudas le pagan el veinte por ciento. Hicimos cuentas y llegamos a la conclusión que si lograba cobrarme la deuda completa, tarea sumamente peliaguda incluso para él (en lo que estuvo de acuerdo conmigo), su ganancia sería de doscientos quetzales, sin incluir los intereses. Pues bien, le indiqué que yo no tenía la menor intención de cancelar en un futuro próximo, mi cuenta completa, salvo que el señor Méndez Rodas estuviera dispuesto a participar en los sorteos con los demás acreedores. Por supuesto que ni siquiera discutió esa posibilidad, y fue entonces cuando le dije que había una alternativa. Le expliqué que él podía evitarse muchas molestias tratando de cobrarme, y también me las evitaría a mí, pero que podría embolsarse su porcentaje...

Martín hizo una pausa, para ponerle mayor suspenso a su relato, momento que aprovechó adrede para tomar un sorbo de agua. Y prosiguió:

—Le dije que yo le pagaría los doscientos quetzales, equivalentes a su comisión, y él reportaría a la firma "De la Palma Sucs." que yo había desaparecido del mapa sin dejar rastro, que me había ido de mojado a los Estados Unidos o que me habían desaparecido los paramilitares, y que, por lo consiguiente, mi caso era un caso para el archivo. Y aceptó.

Mientras Martín recordaba todo el proceso que había tenido qué atravesar para solucionar su problema y se refocilaba en el restaurante donde ese mediodía celebraba su triunfo con un delicioso almuerzo, previo aperitivo, el señor Méndez Rodas se entrevistaba con el gerente de la empresa importadora donde prestaba sus servicios desde hacía 45 años.

—Le agradezco, licenciado Cifuentes –decía el viejo y obstinado cobrador al gerente de la firma "De la Palma Sucs", hijo del fundador de la empresa– toda la confianza que su papá, que Dios lo tenga en gloria, y usted me depositaron durante estos años que les he trabajado. Gracias por pagarme mi indemnización y por la jubilación que recibiré. Hace pocos minutos hice entrega al señor Ramiro Gómez, el nuevo cobrador de deudores reacios, los pocos expedientes no concluidos, incluso el del más tramposo, un tal Torres Paredes. Y siempre lo espero el viernes en la noche en mi casa, pues doy una fiestecita de despedida. Todavía hoy, mi último día de trabajo, me gané unos centavos extras. La suerte, que siempre me ha acompañado. Y mi perseverancia, por supuesto.

Romualdo de Parranda

Uno

Rumbo a la playa, en la pendiente que une a la capital con Amatitlán, Romualdo recuerda lo ocurrido el día anterior, con cierto aire de petulancia mezclada con escondido sentimiento de culpa.

—No se trata de una reunión grande, a lo bestia; simplemente queremos tomarnos una copa para darle la bienvenida a Jorge. Vamos, hombre, ¡decidite!, le conminaba José Rodolfo la tarde del viernes, al anunciarle que los compañeros de oficina habían planificado departir un par de horas en el bar y restaurante *Fuente de Alegría* del hotel *Rondalla*, después de finalizar la actividad laboral al caer la tarde, con el propósito de agasajar al nuevo empleado, el licenciado *in fieri* Jorge Mario Rueda Alpírez, quien el lunes de la misma semana había tomado posesión de su trabajo en la empresa donde Romualdo presta sus eficientes y honestos servicios.

José Rodolfo es un tipo muy simpático. Frisa los 30 años de edad, alto, esbelto, el pelo rubio y ensortijado, rostro sonriente, siempre bien vestido, oloroso a loción importada y generalmente de un humor excelente. Aunque, como la mayoría de sus compañeros de trabajo, es casado, frecuentemente se va de parranda los fines de semana.

Hay otros que lo secundan, pero son menos persistentes en las jornadas báquicas y de otra naturaleza. Romualdo es la excepción. Sereno, meticuloso para todas las cosas, muy serio en su trato con los demás, introvertido, correcto en todos los actos de su vida, de baja estatura, relativamente obeso y con prematura calvicie. Estas características le dan la apariencia de ser un hombre cercano al medio siglo de vida, aunque no llega todavía a los 40 años. Acaba de cumplir los 39.

—Ya sé lo que significan tus pequeñas reuniones –le responde Romualdo a José Rodolfo–. Cada vez que decís que te vas a tomar un par de tragos con los compañeros de oficina o con otros amigos tuyos, la parranda se alarga hasta el día siguiente...

—Ahora no va a ser así, te lo prometo –insiste Chofo, como le dicen con cariño–. Además, te podés ir cuando querrás; nadie te va a detener.

—Eso me decís en estos momentos; pero vos y los demás se ponen en un plan muy intransigente cuando se les han subido las copas. Son muy obstinados cuando han bebido. Acordate lo que ocurrió la otra vez, cuando llegué a mi casa a las dos de la madrugada...

—¿No me vas a decir que no te la pasaste muy alegre con la rubia aquella?

—No quiero ni acordarme –se lamenta Romualdo en voz baja–. Si se hubiese enterado mi señora ya me imagino lo que hubiera ocurrido en nuestro hogar.

—Eso es, precisamente, lo que te hace desdichado a vos: ¡tu mujer! Ya es tiempo de que despertés, hombre; no te vas a pasar toda tu vida pegado a las faldas de tu doña. ¡Ni que fuera tu mamá!

—Por favor, ¡no te metás en esto! Ya sabés que amo a mi esposa y que ella y mis hijos son mi felicidad.

—¡Pero si nadie te está diciendo lo contrario, Romualdo! No se trata de que querrás o dejés de amar a tu queridísima consorte y a tus adorados hijitos. Lo único que te pedimos es que hoy nos acompañés. Mira, hacelo siquiera por Jorge. Va a creer que lo desairás si no vas, y peor con esa cara de amargado que tenés.

A regañadientes Romualdo acepta la invitación, especialmente porque no desea causar ninguna mala impresión al nuevo compañero, sobre todo porque da la mera casualidad que Jorge es sobrino del gerente-propietario de la empresa.

DOS

—Mi amor, te estoy llamando para avisarte que tengo un pequeño contratiempo —le dice Romualdo por teléfono a su mujer, mientras que la amplia frente se le perla de sudor—, por lo que no me esperes a cenar...

—No, no se trata de trabajo estrictamente —continúa, casi tartamudeando—... es que le vamos a dar la bienvenida al nuevo compañero de la oficina... imagínate, es el sobrino del Jefe... ¡No, desde luego que no, cariñito... no va a suceder lo que ocurrió la vez anterior...! Además, hace ya más de dos años de ese pequeño incidente. No, no, no... estaré en casa a eso de las 10 de la noche, a más tardar. Besitos a los niños... Sí, claro, me cuidaré y no tomaré más que un par de tragos, para condescender con los compañeros...

—Sí, naturalmente, conduciré con cuidado... ¡Adiós, mi cielo!

Finalizada la jornada laboral los siete compañeros de oficina, incluso el agasajado, encabezados por José Rodolfo se encaminan hacia el hotel *Rondalla*, cada quien en su respectivo automóvil, con excepción de Ramiro, quien todavía no ha logrado hacerse de un vehículo, por lo que aborda el carro de Damián, vecinos ambos de la misma colonia.

Jorge Mario Rueda Alpírez resulta ser un muchacho muy agradable. Después de tomarse varias copas con sus nuevos amigos, mientras que Romualdo sólo ha ingerido una, y de agradecer las muestras de simpatía de sus compañeros de trabajo, los invita a visitar otro sitio menos formal.

—Ciertamente es divertido estar con ustedes, pero aquí no hay variedad –argumenta–. ¿Qué dicen si vamos a *La Academia Real*? Allí nos tomamos otros traguitos, comemos y bailamos, además de escuchar a Josefina, la cantante de moda. ¿Qué dicen? Eso sí, les advierto que todo corre por mi cuenta, pues mi tío..., digo, el gerente me autorizó gastos de representación... así que ustedes disponen.

—¡Por supuesto que sí! ¡Faltaba menos! –exclama con júbilo Chofo–; pero no se trata de que nosotros no gastemos nada. ¡Jamás de los jamases! Queremos que tu bienvenida sea imborrable en nuestras memorias y que quede grabada en tu recuerdo.

Uno que otro compañero intenta oponer débil y falsa resistencia; sin embargo, solamente Romualdo es el que, en realidad y con franqueza, adversa la idea. Sus amigos, empero, se encargan de convencerlo una vez más, tomando en consideración nuevamente los vínculos familiares que unen al nuevo empleado con el mero Jefe, fuera de que todavía es relativamente temprano. «La noche es joven», dice José Rodolfo, presumiendo ser original.

El grupo sale jovialmente del bar y restaurante *Fuente de Alegría* y con muestras de emotividad ingresa minutos más tarde a *La Academia Real*.

Dos diligentes meseros se ponen a su servicio de inmediato, y poco después se aproximan siete muchachas a las que prontamente les disponen de sendas sillas en las que se sientan a la par de los clientes, alternando con ellos.

Junto a Romualdo se acomoda una chica de unos veinte años, morena, de largas pestañas, piernas esbeltas, cintura breve, labios un poco gruesos y manos acariciantes. Durante contados segundos Romualdo hace el intento de reflexionar, pero Patricia, la muchacha que trata de encenderle el cigarrillo, cuyo humo su galán no puede aspirar, constituye una deliciosa excusa a las cada vez más lejanas y púdicas pretensiones de Romualdo de permanecer ajeno a las tentaciones libidinosas extramaritales.

Tres horas más tarde el grupo se disuelve. Con más de una media docena de tragos entre pecho y espalda Romualdo bailó con desconocida destreza, apretando la cintura de Patricia. En un momento dado, ambos desaparecen de escena, con destino ignorado.

TRES

Está alboreando el nuevo día cuando Romualdo abre el garaje de su casa. Recién dejó a la Paty en su apartamento, por la calzada Roosevelt, donde proliferan moteles y gasolineras. Apaga el motor del vehículo y lo desliza suavemente hacia el interior de su residencia, aprovechando la ligera pendiente. Entra a la cocina, se prepara una taza de café, pasa al baño donde se cepilla los dientes, se lava la cara, se quita el saco para mirar detenidamente las solapas y la camisa tratando de descubrir alguna pecaminosa huella y sigilosamente ingresa a la habitación que comparte con su mujer.

Su cónyuge duerme plácidamente, y Romualdo, en la penumbra, cree ver dibujado en el rostro de Mildred una peculiar mezcla de inocencia y enfado. Todavía con los vapores del alcohol en su cabeza, el honrado oficinista de la iniciativa privada se desviste, se pone la pijama y se acuesta suavemente al lado de su consorte.

A las ocho de la mañana Romualdo despierta sobresaltado. Está sudando. Se percata de que su esposa ya se ha levantado. Escucha las voces desde el jardín de sus dos hijos mayores, de 5 y 3 años de edad, así como el leve llanto del bebé, de apenas 10 meses.

Romualdo se levanta de prisa y se mete al baño. El agua fría de la ducha lo despabila del todo. Luego, se afeita y se pone loción en la cara y las axilas. Vestido con ropa deportiva sale de la alcoba buscando a su esposa.

—¡Mi amor! ¿Dónde estás? —se atreve a llamarla en voz alta.

—¡En la cocina! ¿En qué otra parte? ¿Qué quieres? —responde, ofendida.

Romualdo llega a la cocina, se acerca a su mujer y trata de besarla en la mejilla, para darle los buenos días. Pero Mildred lo rechaza abiertamente. No está de humor para aceptar caricias de su marido. Todo lo contrario.

—¡No sé cómo te atreves a hablarme tan descaradamente! Todavía tengo muy fresca en mi memoria la experiencia anterior, cuando viniste en desastroso estado etílico, y ahora se repite la historia. ¡Nuevamente llegaste a la casa en condiciones lamentables!

—¡Óyeme, cielito! Verdaderamente me vi comprometido. ¡Déjame que te explique! —ruega Romualdo.

—¡Es que no hay necesidad de explicación alguna! Dijiste que vendrías a eso de las 10 de la noche y yo te estuve esperando despierta hasta casi las tres de la madrugada, pensando que te habría pasado lo peor.

—Se trataba del sobrino del gerente... era necesario...

—¡Por mí que se trate del propio hijo del Presidente de la República! Hasta estuve pensando en llamar a la policía, a los hospitales, a los bomberos; pero recordando tus antecedentes mejor me abstuve. ¡Qué papelón hubiese hecho, Dios mío! Yo aquí solitaria con mis hijos, angustiada, mientras que el sinvergüenza y borracho de mi marido en plena juerga.

—No exageres, por favor. Si apenas nos tomamos unas copas y fuimos a cenar...

—¡Pero acompañados de qué mujerzuelas quisiera saber!

—¡No, mi amor! No tengas malos pensamientos; además, ya sabes como es de obstinado José Rodolfo...

—Como quieras, pero esto es ¡¡¡¡¡im-per-do-na-ble!!!!!

–Insisto en decirte que no fuimos a hacer nada fuera de la moral. Después de la cena nos pasamos casi toda la noche oyendo mariachis en El Trébol; yo pidiendo que cantaran las canciones que tanto me recuerdan nuestro noviazgo.

—¡Pues qué me importa! ¡Quítate de aquí, por favor, que me estás interrumpiendo! Y los niños que estaban tan ilusionados de salir a pasear desde temprano, a respirar aire puro. ¡Pero ellos todavía no comprenden la clase de padre irresponsable que tienen!

—Eso tiene arreglo –se le ilumina el cerebro a Romualdo–. Ahorita mismo te ayudo a bañarlos, los visto y salimos todos a la playa. ¿Te parece bien?

—¡Has lo que te plazca! ¡Pero eso sí, yo no estoy dispuesta a preparar comida ni nada por el estilo!

—No hay cuidado, mi amor, pasaremos por el súper a comprar lo necesario y almorzaremos en un restaurante del puerto.

CUATRO

Romualdo se quita un peso de encima. Lo más probable es que el humor de su esposa no cambie de un momento a otro, pero ya estando en la playa, donde tanto le gusta broncearse, su enojo ceda y retorne la armonía conyugal.

Mientras baña a los dos niños mayorcitos, Romualdo maldice a Chofo. Sin embargo, también se recuerda de la morena aquella...

A las 10 de la mañana el contrito marido arranca el automóvil, ubica a los dos niños en el asiento posterior del vehículo, en tanto que su esposa se acomoda a su lado, con el bebé en brazos. De todas formas, siempre ha sido necesario preparar el biberón y el termo con agua caliente para mezclar la leche en polvo que toma el más pequeño de sus hijos.

Romualdo aparenta manejar con tranquilidad, conduciendo con excesiva precaución, más de lo habitual en él. Iba a silbar unas de las melodías en boga que la orquesta tocó la noche anterior cuando bailaba con Patricia; pero se contuvo al observar de reojo el severo rictus de su mujer, todavía muy contrariada y sin intentar disimularlo.

El vehículo enfila hacia la calzada Aguilar Batres. En una gasolinera Romualdo se aprovisiona de combustible y adquiere refrescos embotellados, hielo, dulces, pastelillos y otras golosinas en la adjunta tienda de conveniencia.

Con las dos manos tomando el timón del carro, Romualdo se dirige por la carretera que conduce a la playa. No despega los labios para nada, en tanto que los niños piden dulces a la madre. El vehículo es de poco cilindraje, de dos puertas, de modelo relativamente reciente, de manera que hay un espacio que separa los dos asientos delanteros, no como el carro que Romualdo tenía cuando era novio de Mildred, con la palanca de velocidades al lado del timón, de asiento corrido delantero, de suerte que su novia podía ir muy próxima a su prometido, embelesados ambos.

Romualdo piensa en esos días de tierno romance, pero también en lo ocurrido anoche. Reflexiona y llega a la conclusión que no fue muy ético su comportamiento. Aunque los momentos que había disfrutado...

Afortunadamente su esposa, por más que abiertamente no lo admite, ni siquiera sospecha que su marido pudiese tener una aventurilla. «¡Qué mujer se va a fijar en Romualdo, con esa figura que tiene, barrigón y medio calvo!», medita Mildred y casi le transmite ese pensamiento a su cónyuge. Con el deseo de salir pronto de su casa, la mujer de Romualdo no se ha cambiado su ropa deportiva, pues prefiere hacerlo en el hotel de la playa.

De todas formas, Romualdo había tomado algunas precauciones cuando esa madrugada llegó a su casa. Ni manchas de lápiz de labios en la camisa, ni un cabello de mujer en el asiento del automóvil.

Así cavila Romualdo al pasar frente a Villa Nueva, cuando frena relativamente con brusquedad. Sus labios se le resecan, su corazón late más aprisa, la frente se le perla de sudor y está a punto de lanzar un grito.

—¿Qué te pasa, Romualdo? ¿No puedes manejar con más cuidado? —le increpa iracunda su esposa.

—No es nada, simplemente traté de salvar un bache en el asfalto que no vi de lejos... —se defiende.

Lo que Romualdo ha visto no es un bache, precisamente, y no es algo que esté en la carretera. En un momento que mira con el rabillo del ojo a su mujer, para estudiar de soslayo su rostro, a fin de establecer si ya ha mejorado su semblante, y al hacer un cambio de velocidades, instintivamente observó a la ligera si la palanca del freno de mano está en posición horizontal.

Cabalmente en ese momento descubre con asombro un zapato de mujer, semiculto, justo en medio de los dos asientos. Romualdo no halla qué hacer. El corazón le palpita más aceleradamente, las manos le sudan y las piernas le pesan al mover los pedales del carro. «¡Cómo diablos no se le había ocurrido revisar bien el automóvil, especialmente en el lugar donde está la palanca del freno de mano!», se culpa angustiosamente.

Mildred, por su parte, indiferente a la desazón de su marido, aparenta estar pendiente de los letreros que anuncia lotes en venta, granjas, hoteles, agencias de viajes, camiones, televisores, tractores y cuanto artefacto, inmueble o servicio es posible promocionar en las vallas ubicadas a orillas de la carretera.

Transcurren como 15 minutos y el vehículo recorre casi igual cantidad de kilómetros. Romualdo no atina a encontrar una solución al grave problema que se le presenta y tampoco puede razonar en torno a una lógica explicación cuando la situación haga crisis. En cualquier momento.

Cerca de Amatitlán, en una recta Mildred voltea la cabeza hacia atrás, pero girando hacia su lado derecho, como no queriendo ver el rostro de su marido, buscando con la diestra el sitio donde se encuentra el termo con agua caliente, pues el bebé comienza a dar indicios de tener hambre.

En ese preciso instante, cuando su esposa pide a uno de sus hijos mayores que le alcance el bote de la leche en polvo, Romualdo hace una maniobra que probablemente sea la salvación de su matrimonio. Toma con la mano derecha el zapato de mujer que está apretadamente escondido al lado de la palanca del freno de emergencia.

Como consecuencia del rápido movimiento, insospechable en un hombre tan parsimonioso como Romualdo, el zapato cambia de lugar. El hombre lo tiene en la mano izquierda, semioculto entre el muslo de la pierna del mismo lado y la portezuela del carro. Se dispone a lanzarlo a la carretera, cuando Mildred recupera su posición en el asiento, mirando hacia adelante de nuevo, imperturbable.

Romualdo sigue sudando y una y otra idea nace y muere en su agotado cerebro, temiendo que su mujer, en cualquier momento se dé cuenta de su nerviosismo e indague las razones.

El automóvil continúa su marcha y la angustia de Romualdo se acrecienta. Con disimulo observa la ubicación del zapato. Si Mildred viera con alguna atención hacia el asiento de su marido, quizás pudiera distinguir el pequeño tacón del zapato que sobresale en el muslo izquierdo de su consorte.

Al aproximarse a Palín, Mildred voltea de nuevo la cabeza, en iguales circunstancias que la vez anterior, o sea hacia la derecha, para llamar la atención a uno de los pequeños que gimotea por una banalidad.

Ahora sí puede efectuar la maniobra con suma rapidez. Romualdo toma el zapato con la mano izquierda. Sube el brazo hasta el ventanilla de la portezuela y luego lo baja en la parte exterior. Espera que su mujer mire hacia adelante de nuevo, para botar el zapato en la carretera, que rebota en el pavimento.

Un silencioso «Ahhh...» apenas perceptible brota de la reseca garganta de Romualdo. La evidencia de su efímera infidelidad ha desaparecido. Está tranquilo.

El automóvil recorre otros kilómetros más. Romualdo maneja con serenidad, seguro de sí mismo, de manera que maniobra calmadamente cuando antes de llegar a Escuintla uno de los niños pide detener la marcha del vehículo porque tiene imperiosos deseos de orinar.

Romualdo se estaciona fuera de la cinta asfáltica. Apaga el motor del automóvil y, en ese instante, cuando Mildred abre la portezuela de su lado y se dispone a bajar del vehículo, exclama:

—¡Mi zapato! ¡¿Qué pasó con el otro zapato?! ¡Me quité los dos al salir de la casa, los puse adentro del carro y ahora sólo uno aparece!

Boletos para el teatro

Uno

—¡Quieeeeto! ¡No haga ningún movimiento! De usted depende que no le causemos daño. Sólo queremos el carro. ¡Muévase lentamente!

Aunque no me lo hubiese advertido, estaba incapacitado de moverme de prisa. Sentía la presión del arma en la parte izquierda de la nuca, casi debajo de la oreja. Tenía las manos aferradas al volante, las piernas paralizadas, los hombros rígidos y unas tremendas ganas de orinar. A mi lado izquierdo sentí la presencia de quien me amenazaba. Con el rabillo del ojo percibí una sombra, un bulto.

—¡Hágase para allá! ¡Córrase, cabrón!

Era tan fuerte la presión del arma que me causó dolor, de manera que, involuntariamente, ladeé la cabeza y fue entonces cuando vi la cara del asaltante. Bueno, la vi pero no me dio tiempo de precisar sus rasgos, pues con la misma arma me obligó a voltear la vista hacia adelante; pero sí noté el brillo resuelto de sus pequeños ojos cafés. Me costó mucho desprenderme del volante, pues tenía los dedos engarabatados. Con mucho esfuerzo desocupé el asiento que corresponde al conductor. Al hacer la maniobra miré que, inclinado sobre la portezuela derecha, estaba otro sujeto que también empuñaba una arma. Ya me defecaba.

—¡Abrile la portezuela a mi amigo! —me ordenó el primero de los hombres, cambiando el tratamiento hacia mí. Por tener las manos sudorosas tuve dificultades de quitar el seguro de la portezuela derecha, y cuando estuvo abierta, el segundo de los asaltantes entró al carro de inmediato. A éste lo pude apreciar mejor. Como el otro, era relativamente joven, de unos veinticinco años de edad. Cetrino, pelo hirsuto, barba y bigotes ralos y descuidados, de mediana estatura, con la ropa gastada y sucia.

Después de que los dos asaltantes se acomodaron en el carro, emprendimos la marcha. Yo en medio de ellos, en una posición dificultosa, con la palanca de velocidades entre las piernas.

Temía por mi vida. Me había enterado de otras personas que fueron encontradas muertas a la orilla de cualquier camino, después de haberles robado sus vehículos.

Los dos hombres no hablaron más que lo estrictamente necesario entre sí para intercambiar opiniones respecto al rumbo que deseaban tomar. Finalmente optaron por encaminarse sobre la Calle del Cementerio, buscando el sur de la ciudad.

Los asaltantes me habían sorprendido en la 19 calle y 3a. avenida de la zona 1, cerca de un depósito de granos, donde acababa de dejar 10 quintales de arroz. Cuando pasamos justamente frente al Cementerio General, divisamos una autopatrulla de la Policía. La presencia del carro policíaco dos cuadras más adelante, en vez de causarme tranquilidad, me provocó pánico, pues temía una acción desesperada de los delincuentes. Al mismo tiempo que me obligaron a agacharme dentro del vehículo, el individuo que había tomado el volante del picop hizo un viraje y cruzó hacia la izquierda. A partir de ese momento, como llevaba la cabeza entre las piernas, ya no me di cuenta de las calles que transitamos.

Habríamos recorrido unos cinco kilómetros cuando el carro detuvo la marcha.

—Aquí te vamos a dejar, pero tenés que seguir bien estas instrucciones si no querés que te matemos: Te vas a bajar del picop y te parás frente a esa pared, con la cara pegada al repello. No tengás pena por tu picop que te lo vamos a devolver; sólo lo necesitamos para un trabajo. No vayás a llamar a la Policía, ¿oíste?

Entonces pude distinguir sus rasgos. Contra lo que había pensado, éste, el delincuente que me amenazó inicialmente, era de tez clara, pelo castaño y un poco crespo; el bigote bien recortado. Delgado, de facciones suaves.

—Tapale los ojos con el pañuelo —le dijo a su compinche—; y vos —dirigiéndose a mí de nuevo, antes de cubrirme los ojos—, cuando estés parado allí empezás a contar hasta cien, de uno en uno, ¿entendiste bien? ¡Ni se te ocurra quitarte el pañuelo, porque entonces sí te morís! ¡Vamos, caminá!

Y ahí estaba yo contando bien despacio... *uno, dos, tres, cuatro... treintisiete, treintiocho, treintinueve... setenta y cinco, setenta y seis, setenta y siete, setenta y och...* Como no oía el motor del carro, y presumiendo que ya se había alejado del lugar donde me encontraba, dejé de contar y esperé unos segundos antes de quitarme el pañuelo, hasta no estar bien seguro que los asaltantes se habían ido. Efectivamente, no había nadie.

La calle estaba desierta, como cuando llegamos a ese lugar. Comenzaba a oscurecer.

DOS

Todo esto le contaba a mi esposa y a nuestros hijos minutos después de haber llegado a casa. Francis fue la que atendió el llamado telefónico que hice y de inmediato abordó el BMW azul, acompañada de Jennifer y Kevin, nuestros hijos.

Nos dirigimos directamente a la estación de la Policía Nacional Civil, en El Guarda, para denunciar el robo del carro.

—Pues fíjese que no –le respondí al oficial de Policía que requería la información pertinente–, sí se llevaron el teléfono celular, pero no me quitaron dinero, ni mi chequera, como tampoco ninguna de mis tarjetas de crédito, ni mis credenciales del club...

Tuve la impresión que al uniformado le desagradó que no me hubiesen despojado de mis objetos personales.

—¡Menos mal que no le vieron el anillo que acaba de comprar en Miami, y que no portaba las plumas Cartier's, ni el Rolex que le regalé para su cumpleaños! —exclamó Francis.

—¿Y usted quién es? —inquirió despectivamente el sargento.

—Soy la esposa de Mac —respondió, extendiendo su mano derecha al policía para entregarle su tarjeta de visita: «Francis de Sikahall», que el policía leyó de inmediato, y luego al observar el rostro moreno de mi señora y medir con la vista su baja estatura, comentó:

—No tiene cara de gringa ni de francesa. Pero eso no me importa, lo que sí es necesario es que usted se identifique —dirigiéndose a mí.

—Soy el licenciado Ma...

—Su cédula, por favor —me interrumpió el sargento, cabo o lo que fuese.

Le entregué mi cédula de vecindad. Después de verla detenidamente y con los ojos puestos en el documento dijo:

—Con que usted es el Licenciado Macario Romualdo Sical López, Abogado y Notario, originario de Patzicía y casado con la señora Francisca Gumercinda Camey. Así que ella es su mujer. Además somos paisanos ¿verdad, doña Pancha?

Francis se sintió ofendida por el tratamiento grosero, incluso que le dijeran que era mi mujer y no mi esposa.

—Dígame, don Macario —continuó el *chonte* con marcada ironía— ¿tenía asegurado su picop?

—Por supuesto que sí. Todos nuestros vehículos tienen seguro contra robo, accidente, daños a terceros...

—Un día de estos nos chocaron el BMW que compramos el año pasado —Francis, de nuevo, intentando recuperar su dignidad alicaída—, y de no haber sido que estaba asegurado...

—Está muy bien, doña Paca, muy bien, pero lo importante es saber los detalles del picop robado —la interrumpió.

Mi esposa mejor abandonó la sala apestosa a tabaco, sudor y mugre.

Cuando salí encontré a Francis razonablemente furiosa.

—Sería bueno que hablaras con el viceministro de Gobernación —dijo al abordar el vehículo, refiriéndose al licenciado Reyes Calderón, amigo nuestro que recientemente había tomado posesión de ese cargo–, porque no es posible aceptar que cualquier gentuza trate tan abusivamente a personas decentes y educadas, como el caso de ese policiíta de mierda... ¡Ay, perdóname el exabrupto!

TRES

Transcurrieron dos semanas desde la tarde aquélla. En el ínterin nos enteramos por la televisión y la prensa que una agencia bancaria de Vista Hermosa había sido asaltada, con el saldo de dos policías militares muertos y uno llevado de rehén, sin que hasta entonces hubiera sido liberado. Los delincuentes robaron alrededor de un millón de quetzales, habiéndose fugado a bordo de dos vehículos, uno de los cuales presumiblemente era un picop con parecidas características al nuestro.

Por su parte, el representante de la compañía aseguradora no estaba muy dispuesto a reconocer la pérdida, aduciendo que nos habíamos atrasado en el pago de las letras del seguro.

—¡Cómo es posible que por un olvido involuntario no nos quieran pagar el *picap*! –reclamaba mi esposa hoy en la mañana–, y mientras tanto Kevin no tiene cómo conducirse al colegio.

—No es para tanto –traté de serenarla–, pues si bien es cierto que por el momento no tiene vehículo, yo mismo lo voy a dejar al colegio y tú lo vas a traer.

—Pero no es lo mismo –insistía–, porque con eso de que todos los días tenga que ir yo por él al *Liceo*, no puedo cumplir con otros compromisos. Imagínate que ayer perdí mi turno con mi peinadora porque llegué tarde al salón de belleza.

—Creo que estás exagerando, mi amor. No es necesario que vayas todos los días al salón de belleza...

—El exagerado eres tú –replicó airadamente–, pues sólo voy cuatro veces por semana, y bien sabes que el cabello me quedó muy delicado desde que me hicieron aquel tinte en Quetzaltenango, por culpa tuya, por acompañarte a la convención de los *clubes de leones*. A propósito, ahora cualquier pelado es *león;* ya deberías solicitar tu membresía a los *rotarios.*

—Por ahora no es posible, pero te prometo que lo intentaré —le ofrecí con ánimo conciliador.

—¡Está bien!; ya no discutamos; pero lo que no soporto es el encierro, ni siquiera hemos ido a la playa...

—Tu sabes que tenemos limitaciones financieras –argumenté–; pero de eso a que permanezcas encerrada hay una gran diferencia. La semana pasada fuimos al cine, luego te llevé al teatro...

—¡Ahhh... sí... al cine y al teatro, pero a qué teatro!, al de la *Universidad Popular*, a codearnos con la chusma, a oír sandeces, a percibir malos olores... ¡En que plano te estás poniendo, Mac... *Macario Romualdo*!

—¡Tú eres la que se está poniendo en un mal predicado, Francis... *Francisca Gumersinda*!

Olvidó toda compostura, hizo alusión a mi origen maternal y a mi ancestro paterno, trajo a cuenta la sórdida historia de una hermana mía que se vio obligada por las circunstancias a irse de ilegal a Los Angeles, me echó en cara una breve infidelidad de hace diez años, sacó a relucir la detención de mi hermano Tany (*Atanasio*, aclaró mi cónyuge) en una redada de homosexuales, y la vida licenciosa de la tía Chabela en mi pueblo. Pero el colmo fue cuando me atribuyó exclusivamente a mí la secuela de un caso jurídico que nos permitió la adquisición de la finca en la Costa Sur y una casa en La Cañada, que damos en alquiler, habiendo sido ella la instigadora de todas las manipulaciones que culminaron trágicamente con el suicidio de don Estanislao, al haber creído que había sido despojado de sus propiedades; la subsiguiente muerte de su viuda a causa de un paro cardíaco y, adicionalmente, las amenazas de su hijo Rafael contra nosotros, quien había jurado vengarse antes de enrolarse con los *Contras* de Nicaragua, donde se le dio por muerto, una vez concluida la guerra civil en ese país, aunque alguien aseguraba que lo había visto en Guatemala y otro más llegó al extremo de aseverar que era el cabecilla de una banda criminal.

CUATRO

Como casi siempre ocurría en nuestras discusiones, terminé por abandonar el campo de batalla, incapaz de resistir la agresiva ofensiva de mi esposa, de su interminable verborrea. Salí de la habitación y me encaminé a la sala, cuando sonó el timbre del teléfono. Lo que menos quería en esos momentos era entablar conversación alguna con cualquier persona, aunque fuera telefónicamente; pero me vi precisado a tomar el aparato, porque daba el caso que las dos empleadas habían pedido permiso para irse a la feria de San Agustín Acasaguastlán, de donde son originarias, y no regresarían hasta el domingo.

—¿Y qué hacemos con los muchachos?

—¿Cómo que qué hacemos con los muchachos?, pues nos acompañan. Ya es tiempo que se culturicen un poco. Como yo tengo que ir al salón de belleza, tú les hablas y te impones, ¿de acuerdo?

—¿Y qué hacemos con la casa? —porfié yo.

—Pues no querrás que nos la llevemos ¿verdad? Mac, por favor, es cierto que no están las empleadas y que irán con nosotros los dos hijos, pero eso no es la primera vez que ocurre. Cuando nos fuimos para Semana Santa a la playa dejamos sola la casa, y no sucedió nada. Ahora nuevamente echaremos llave en todas las puertas y pondremos la alarma contra robos, y tampoco ocurrirá nada. Además, creo que nos merecemos este placer después del susto que pasamos con el robo del *picap*.

Con tan convincentes argumentos y conociendo el carácter de mi esposa, ya no puse otra objeción. Con los hijos hice un trato: a cambio de acompañarnos al *Gran Teatro* a oír a *Clayderman*, les ofrecí comprarles boletos para asistir a la presentación de un(a) cantante extranjero(a) de difícil identificación sexual que vendría a Guatemala dentro de un par de semanas.

CINCO

Francis se emperifolló más de lo conveniente, en tanto que a Kevin y Jennifer se les tuvo que obligar a que se vistieran decentemente, sobre todo el muchacho que quería ir al concierto de *Clayderman* con jeans y chaqueta de cuero, y calzando zapatos de tenis. Mi mujer pretendía que yo me pusiera el smoking de mi casamiento, pero logré persuadirla para

—Alooóoo... Sí, yo soy, a sus órdenes. Sí, me robaron un picop ... ¿Que qué dice...? Ahhh síííííííí... Espéreme un ratito, voy a buscar un papel... Ahora sí, hágame la campaña... ¿Cómo dijo...? Se lo voy a repetir: 4a. calle y 14 avenida de la zona 11, por Carabanchel, cerca de un grupo de alcohólicos anónimos... ¿Cómo dijo que se llama ese grupo...? ¿Un Nuevo Camino? No sabe cuánto se lo agradezco... Sí, yo me di cuenta de inmediato que ustedes no eran unos ladrones vulgares... ahhh... si... ni siquiera ladrones... usted perdone, pues de haber sido así no me devolvieran el carro. Estoy muy agradecido, ¿oye? Ahorita mismo voy para allá. Gracias, otra vez. ¡Que Dios los bendiga!

En vista de que necesariamente debía contar con otro chofer para ir a traer el picop y por tratarse de buenas noticias, me vi obligado a hablar con Francis. Le conté lo que me acababan de comunicar por teléfono. Su ira se fue apaciguando y conforme conversábamos iba desapareciendo su cólera, cosa rara en ella, pues generalmente suele mantener su enfado durante semanas completas.

A medida que nos alejábamos de nuestra casa, en búsqueda del vehículo, desaparecía todo vestigio de malestar, dando lugar a la expectativa, la esperanza y la duda de encontrar el carro; incluso pensamos que el telefonema recibido era una broma de mal gusto, que nos estaban tomando el pelo.

Salimos de la colonia y enfilamos hacia la calzada Roosevelt. Después de haber recorrido un buen trecho de esa arteria hacia el oriente, cruzamos a la derecha, sobre la 12 avenida de la zona 11. Nuevamente doblamos a la derecha a la altura de la 4a. calle, avanzamos una cuadra más buscando la 14 avenida, y, cabal, casi frente al grupo de *A.A.* que me habían dicho estaba nuestro picop.

Con alguna aprehensión nos bajamos del BMW y nos aproximamos al vehículo robado. Abrí las portezuelas que estaban sin seguro y observé que las llaves estaban prendidas en el encendido.

Tomé asiento en el lugar del piloto, mientras mi esposa veía desde afuera. El motor arrancó a la primera intentona. Francis regresó al otro carro, y emprendimos el regreso a la casa, separadamente, *of course.*

Una vez que estacionamos los vehículos en el garaje, revisamos cuidadosamente el picop. No le faltaba nada. Allí estaba el radio-toca-cassettes, la llanta de repuesto, el triquet, la llave de tuercas, un par de anteojos de sol que mi hijo había olvidado, la sombrilla de Francis en la parte posterior del asiento, un machete, mi agenda de bolsillo en la guantera, donde también encontramos un bolígrafo y el duplicado de un juego de llaves de la casa que habíamos extraviado y que pensábamos que estaba en la finca. El teléfono celular sí no apareció.

Pero lo más interesante es que entre la factura de un tambo de gas, dos comprobantes de depósitos bancarios y una amarillenta receta médica, encontramos, allí en la guantera, un sobre dirigido a mí. Al abrirlo, leímos: *Licenciado Sical: tal como se lo ofrecimos, le estamos devolviendo su picop. Sólo nos sirvió para hacer un pequeño asunto. En señal de disculpas por el susto y el tratamiento que le dimos, las molestias que le ocasionamos y el teléfono celular que extraviamos, le dejamos unos boletos para que lleve a su familia al teatro. Atentamente.*

Efectivamente, dentro del sobre descubrimos cuatro boletos para ir al teatro. Y no al teatro de la

Universidad Popular, ni siquiera al Teatro Abr[il] es donde montan las mejores comedias con a[ctores] extranjeros, sino que nada más y nada men[os] cuatro boletos para ir a ver, oír y hasta to[car al] maestro Richard Clayderman y su orquesta en e[l] *Teatro del Centro Cultural Miguel Ángel Astur[ias]* butacas posteriores de platea.

—Qué considerados —le dije a Francis c[on iro]nía—, dejarnos cuatro boletos, y justamente [los] cuatro los de la familia. Les debe de haber re[mordido] la conciencia.

—Quizás sea eso; pero si son los mism[os del] asalto a la agencia bancaria de la zona 15, [qué] pinche recompensa la que nos dan si es que uti[lizaron] nuestro *picap,* como yo lo supongo.

—Pues tenemos que avisar a la Policía, [que] apareció.

—Mañana lo haces temprano, ahora no[, mejor] aprovechemos el obsequio de los ladrones. [Imagí]nate, la primera vez que viene *Clayderman* [a Gua]temala y nosotros con boletos de platea p[ara la] *premiere* del maestro aquí.

—No sé si será correcto...

—¡Pero cómo no va a ser correcto, homb[re,] sólo vamos a oír buena música, sino que esta[mos] alternando con lo mejor de la sociedad: profes[ionales] de renombre, altos funcionarios públicos, [magis]trados, diputados, periodistas...

—Eso es lo que me preocupa...

—¡Pero, Mac, por Dios!, tú sabes, por [expe]riencia, que para tener éxito es importante [contar] con buenas relaciones sociales.

—No te contradigo; pero me intriga la [proce]dencia de los boletos...

—Eso no es asunto nuestro, no nos incum[be.]

ir vestido con un sobrio traje negro, porque en el smoking ya no cabía, por haber engordado.

Con más de media hora de anticipación llegamos al Centro Cultural Miguel Angel Asturias y, después de estacionar el automóvil en el sitio apropiado, nos dirigimos al Gran Teatro, en cuyo vestíbulo ya había un buen grupo de personas, en tanto que otras formaban filas ante las ventanillas de la venta de boletos.

En el *lobby* (como Francis insistía en designar al vestíbulo) saludamos ligeramente al ginecólogo de mi mujer, estrechamos las manos del licenciado Ruperto Riva de la Peña y de su esposa, conversamos un rato con la directora del colegio de Jennifer, quien se hacía acompañar de un jovenzuelo lánguido, lampiño y fumador, y minutos antes de comenzar la audición platiqué con un viejo amigo mío que hace años no veía, el ahora próspero hombre de negocios, don Obdulio Hidalgo Lobo, que de antiguo burócrata devino en legislador y en contratista del Gobierno.

SEIS

Alrededor de las 11 de la noche salimos del Gran Teatro, y después de saludar a algunas personas en el vestíbulo, retornamos a casa. Francis maneja, los dos hijos dormitan en la parte posterior del automóvil, y yo al lado de mi esposa.

Fuera de los impertinentes comentarios de mi consorte en torno al maquillaje, vestuario o zapatos de indistintas damas y de los aplausos que palmeó presuntamente premiando a los músicos, en momentos menos oportunos, la noche había sido espléndida.

En eso pensaba cuando la voz de Francis me sobresalta al aproximarnos a la casa.

—¡Mac, mira qué raro, las luces del garaje están apagadas!

—A lo mejor no las dejamos encendidas...

—¡No seas tonto!, no ves que la alarma no funciona de noche si no está encendido el foco del frente de la casa.

—Se ha de haber quemado. No nos alteremos.

Con mucha rapidez nos bajamos del automóvil, abrimos la puerta del garaje, encendemos las luces y... ¡Oh sorpresa!, no está el Nissan Sentra, aunque sí el picop.

De no ser porque Kevin está detrás de ella, Francis hubiese caído al piso. Mi hijo la sostiene, y abriendo prontamente la puerta de acceso a la sala, la introduce allí, para sentarla, a tientas, en uno de los muebles. Enciendo las luces e inmediatamente nos percatamos que falta el televisor a colores de 40 pulgadas y el equipo de sonido de componentes. Tampoco está un paisaje de Jorge Mazariegos ni un cuadro impresionista de Isabel Ruiz.

Cuando entramos a los dormitorios y los otros ambientes, nos damos cuenta que se habían robado joyas y ropa fina de Francis y Jennifer, otros tres televisores, el horno de microondas, mi aparato de sonido, la lustradora, la aspiradora y otros artefactos.

Mi mujer no da crédito a lo que ve, por lo que opta por desmayarse de nuevo.

El lejano ulular de una sirena de autopatrulla me alerta para llamar a la Policía, pero el teléfono no funciona. Salgo al garaje para establecer si la incomunicación telefónica y el bloqueo de la alarma obedecen a un desperfecto en la caja de seguridad donde se conectan los alambres de la energía eléctrica.

Al agacharme, casi debajo de la llanta delantera derecha del picop, descubro una pequeña bolsa de papel. Impelido por la curiosidad la levanto y noto que pesa un poco. Tiene algo. La abro e introduzco mi mano derecha. Al palpar, inmediatamente me percato de que es un revólver.

Involuntariamente empuño el arma y la saco de la bolsa, de la que se desliza una tarjeta mecanografiada. La leo: «¿Qué tal Clayderman? Ahora les toca la segunda función. Rafael».

Coléricamente rasgo el pequeño papel, sin entender la totalidad del mensaje. De pronto percibo que varias sirenas de la Policía difunden su sonido e irradian sus luces de colores frente a la casa. Mi esposa, ya recuperada de nuevo, y mis hijos llegan al garaje.

Francis abre la puerta de calle ante los insistentes toquidos y voces airadas con palabras soeces que se escuchan. Alrededor de veinte hombres entran violentamente a la casa, unos ataviados de azul claro y otros vestidos de civil. Un sujeto bigotudo me arrebata el revólver que, estupefacto, sostengo con la mano derecha a la altura de la pierna, y otro hombre me empuja con ímpetu hacia la pared, mientras que mi familia es sometida a la impotencia.

—¡Aquí está! ¡Tal como nos lo soplaron! —grita un individuo cubierto con una sucia gabardina, al tiempo que abre la portezuela derecha del picop e ilumina con una lámpara de mano el interior del vehículo. Volteo a ver y lo que miro me horroriza: un muchacho de unos 23 años de edad, vestido con el uniforme de la Policía Militar Ambulante, yace boca arriba del asiento, con los ojos terriblemente abiertos, y una mancha de sangre coagulada baña el lado izquierdo de su rostro, en cuya sien se advierte un pequeño agujero.

Sobre sus piernas, un maletín con el logotipo del Banco de Desarrollo Urbano. Engrilletado y ante el estupor de mi esposa y mis hijos, dos agentes me introducen en una autopatrulla.

Temo que la venganza de Rafael se ha consumado.

Relevo en la madrugada

Después de las doce de la noche terminaban los programas en la televisión. Ni siquiera documentales mal hechos. Lo último que Romualdo había visto fue el postrer noticiario del canal 8, y la información que recibió no fue, precisamente, un estímulo para conciliar el sueño.

Casi todas las noticias de aquel día de noviembre de 1983 se refirieron a acontecimientos pesimistas y catastróficos, desde el anuncio que hizo el ministro de Economía respecto a que a partir de esa misma fecha se autorizaban precios más altos para una variedad de alimentos, hasta el contenido de despachos noticiosos provenientes del Medio Oriente en torno a la inminencia de una nueva guerra árabe-israelí, sin excluir los últimos informes de la escalada de la confrontación retórica entre Estados Unidos y la Unión Soviética, agudizando la Guerra Fría, y, por supuesto, el resumen de los actos de violencia registrados en Guatemala, con el saldo de una veintena de muertos y muchos más heridos, así como edificios semidestruidos por las explosiones de bombas terroristas y el secuestro de varios dirigentes sindicales y estudiantiles.

Romualdo le deseó las buenas noches a su mujer, sin mayor convicción, y al quedarse a oscuras, encendió un cigarrillo. La claridad de la noche, pues había luna llena, penetraba en la habitación a través de los vidrios colocados en el dintel de la puerta que comunicaba al patio interior de la casa. A lo lejos se escuchaba el monótono zumbido de los vehículos que circulaban aún por la arteria principal del barrio, situado en la periferia de la ciudad.

Aproximadamente había transcurrido una hora y Romualdo seguía en ese estado tan especial que conoce muy bien el insomne. Aletargado. Ni totalmente despierto, pero tampoco dormido. El silencio era total. De vez en cuando se oía lejanamente el escape de un moto; pero, de repente, Romualdo creyó escuchar algunos ruidos apagados, inexplicables a la primera intención. Se concentró y logró establecer que alguien se deslizaba cautelosamente en la sala o el comedor, cerca del garaje.

Con suma prudencia se sentó al borde de la cama e intentó despertar a su mujer. Al pensar en los niños que dormían en otra habitación, Romualdo se acordó de las experiencias que habían tenido amigos o conocidos suyos al enfrentarse a ladrones. Porque ahora estaba casi seguro que quien estuviera dentro de su casa no podía ser otro más que un ladrón, porque él era ajeno a cualquier movimiento político, social o sindical. Ni siquiera pertenecía a algún club ni al comité de vecinos, para evitarse problemas.

De todas formas, movió suavemente el hombro de Amalia, quien se sobresaltó al sentir las manos de Romualdo, moviéndola acompasadamente. Le susurró en el oído que no se moviera de inmediato y que no hablara. Luego, en voz baja le dio a conocer sus temores.

Sin encender la luz, Romualdo se guió a tientas hasta donde debería estar el arma de fuego que le había comprado de ganga a un borracho empedernido, meses atrás. Le apenaba pensar que la pistola o la escuadra, que para el caso le era irrelevante, sobre todo porque no conocía de armas, no estuviera en la bolsa de pecho de uno de sus sacos, el que casi nunca usaba, colgado en una cercha al fondo del armario. Es que solamente una vez había disparado con ese artefacto de fuego, una noche de tantas, para asustar a los gatos que habían convertido el tejado de su casa en sitio propicio para dirimir sus diferencias acerca de los favores que dispensaría una gata a sus múltiples pretendientes.

Sigilosamente introdujo el brazo derecho en el mueble, palpando los trajes colgados sin preferencia alguna, hasta, que, para su consuelo, pudo tocar el metal. Con decisión, pero sin habilidad, empuñó el arma.

"Según lo que han dicho, los ladrones entran a las casas dispuestos a todo, llegando hasta el asesinato si con ello salvan el pellejo –meditó Romualdo–; pero yo no voy a apuntarle al cuerpo. Voy a disparar al aire o, en último caso, a las piernas del ladrón".

Amalia, mientras tanto, se había puesto de pie, y después de alcanzarle la bata a su marido se puso el camisón.

Lentamente, ambos caminaron hacia la puerta. Internamente se culpaban por no haberle echado aceite a las bisagras de la puerta que chirriaba cada vez que la abrían o cerraban.

Mojadas las manos por el sudor, Romualdo se secó la palma de la diestra con su bata y tomó fuertemente el picaporte de la puerta, que cedió ante el rápido jalón.

En un par de segundos, Romualdo salió al pasillo, seguido de su mujer. La luz de la luna y el alumbrado eléctrico de la calle que penetraban a la casa permitían ver con relativa claridad. En eso, una figura de forma humana se deslizó hacia el garaje. Amalia oprimió el interruptor de la lámpara que le quedaba a mano, y el ladrón, al verse descubierto corrió hacia la salida.

Tal como se lo había propuesto, Romualdo levantó la pistola y disparó hacia arriba, pues estaba convencido que no podría herir al maleante, y en vista de que ya había salido de la sala probablemente no le atinaría.

Todavía con el arma humeante y queriendo descubrir el sitio donde había penetrado el proyectil disparado, Romualdo alzó la vista, para darse cuenta, al igual que su mujer, que el hombre que salió huyendo había llegado acompañado.

En las gradas que comunican a una pequeña biblioteca instalada en la planta alta, justamente arriba del comedor, estaba otro hombre. Yacía inmóvil, sobre el costado derecho. Amalia lanzó un grito que intentó ahogar con las palmas de las manos, y Romualdo, con los ojos desorbitados, estático, asombrado, dejó caer el arma al piso.

Los dos pequeños niños, de 4 y 2 años de edad, seguían durmiendo, ajenos a los acontecimientos que ocurrían en su casa.

Paulatinamente, marido y mujer fueron volviendo a la realidad y recuperaron parcialmente la serenidad, aunque sus cuerpos aún temblaban de temor.

Se encaminaron hacia las gradas y ascendieron lentamente. El desconocido estaba muerto. El pro-

—Aloóooo... Sí, yo soy, a sus órdenes. Sí, me robaron un picop ... ¿Que qué dice...? Ahhh síííííííí... Espéreme un ratito, voy a buscar un papel... Ahora sí, hágame la campaña... ¿Cómo dijo...? Se lo voy a repetir: 4a. calle y 14 avenida de la zona 11, por Carabanchel, cerca de un grupo de alcohólicos anónimos... ¿Cómo dijo que se llama ese grupo...? ¿Un Nuevo Camino? No sabe cuánto se lo agradezco... Sí, yo me di cuenta de inmediato que ustedes no eran unos ladrones vulgares... ahhh... si... ni siquiera ladrones... usted perdone, pues de haber sido así no me devolvieran el carro. Estoy muy agradecido, ¿oye? Ahorita mismo voy para allá. Gracias, otra vez. ¡Que Dios los bendiga!

En vista de que necesariamente debía contar con otro chofer para ir a traer el picop y por tratarse de buenas noticias, me vi obligado a hablar con Francis. Le conté lo que me acababan de comunicar por teléfono. Su ira se fue apaciguando y conforme conversábamos iba desapareciendo su cólera, cosa rara en ella, pues generalmente suele mantener su enfado durante semanas completas.

A medida que nos alejábamos de nuestra casa, en búsqueda del vehículo, desaparecía todo vestigio de malestar, dando lugar a la expectativa, la esperanza y la duda de encontrar el carro; incluso pensamos que el telefonema recibido era una broma de mal gusto, que nos estaban tomando el pelo.

Salimos de la colonia y enfilamos hacia la calzada Roosevelt. Después de haber recorrido un buen trecho de esa arteria hacia el oriente, cruzamos a la derecha, sobre la 12 avenida de la zona 11. Nuevamente doblamos a la derecha a la altura de la 4a. calle, avanzamos una cuadra más buscando la 14 avenida, y, cabal, casi frente al grupo de *A.A.* que me habían dicho estaba nuestro picop.

Con alguna aprehensión nos bajamos del BMW y nos aproximamos al vehículo robado. Abrí las portezuelas que estaban sin seguro y observé que las llaves estaban prendidas en el encendido.

Tomé asiento en el lugar del piloto, mientras mi esposa veía desde afuera. El motor arrancó a la primera intentona. Francis regresó al otro carro, y emprendimos el regreso a la casa, separadamente, *of course.*

Una vez que estacionamos los vehículos en el garaje, revisamos cuidadosamente el picop. No le faltaba nada. Allí estaba el radio-toca-cassettes, la llanta de repuesto, el triquet, la llave de tuercas, un par de anteojos de sol que mi hijo había olvidado, la sombrilla de Francis en la parte posterior del asiento, un machete, mi agenda de bolsillo en la guantera, donde también encontramos un bolígrafo y el duplicado de un juego de llaves de la casa que habíamos extraviado y que pensábamos que estaba en la finca. El teléfono celular sí no apareció.

Pero lo más interesante es que entre la factura de un tambo de gas, dos comprobantes de depósitos bancarios y una amarillenta receta médica, encontramos, allí en la guantera, un sobre dirigido a mí. Al abrirlo, leímos: *Licenciado Sical: tal como se lo ofrecimos, le estamos devolviendo su picop. Sólo nos sirvió para hacer un pequeño asunto. En señal de disculpas por el susto y el tratamiento que le dimos, las molestias que le ocasionamos y el teléfono celular que extraviamos, le dejamos unos boletos para que lleve a su familia al teatro. Atentamente.*

Efectivamente, dentro del sobre descubrimos cuatro boletos para ir al teatro. Y no al teatro de la

Universidad Popular, ni siquiera al Teatro Abril, que es donde montan las mejores comedias con artistas extranjeros, sino que nada más y nada menos que cuatro boletos para ir a ver, oír y hasta tocar al maestro Richard Clayderman y su orquesta en el *Gran Teatro del Centro Cultural Miguel Ángel Asturias*, en butacas posteriores de platea.

—Qué considerados –le dije a Francis con ironía–, dejarnos cuatro boletos, y justamente somos cuatro los de la familia. Les debe de haber removido la conciencia.

—Quizás sea eso; pero si son los mismos del asalto a la agencia bancaria de la zona 15, es una pinche recompensa la que nos dan si es que utilizaron nuestro *picap,* como yo lo supongo.

—Pues tenemos que avisar a la Policía, que ya apareció.

—Mañana lo haces temprano, ahora nosotros aprovechemos el obsequio de los ladrones. Imagínate, la primera vez que viene *Clayderman* a Guatemala y nosotros con boletos de platea para la *premiere* del maestro aquí.

—No sé si será correcto...

—¡Pero cómo no va a ser correcto, hombre! No sólo vamos a oír buena música, sino que estaremos alternando con lo mejor de la sociedad: profesionales de renombre, altos funcionarios públicos, magistrados, diputados, periodistas...

—Eso es lo que me preocupa...

—¡Pero, Mac, por Dios!, tú sabes, por experiencia, que para tener éxito es importante contar con buenas relaciones sociales.

—No te contradigo; pero me intriga la procedencia de los boletos...

—Eso no es asunto nuestro, no nos incumbe.

—¿Y qué hacemos con los muchachos?

—¿Cómo que qué hacemos con los muchachos?, pues nos acompañan. Ya es tiempo que se culturicen un poco. Como yo tengo que ir al salón de belleza, tú les hablas y te impones, ¿de acuerdo?

—¿Y qué hacemos con la casa? —porfié yo.

—Pues no querrás que nos la llevemos ¿verdad? Mac, por favor, es cierto que no están las empleadas y que irán con nosotros los dos hijos, pero eso no es la primera vez que ocurre. Cuando nos fuimos para Semana Santa a la playa dejamos sola la casa, y no sucedió nada. Ahora nuevamente echaremos llave en todas las puertas y pondremos la alarma contra robos, y tampoco ocurrirá nada. Además, creo que nos merecemos este placer después del susto que pasamos con el robo del *picap*.

Con tan convincentes argumentos y conociendo el carácter de mi esposa, ya no puse otra objeción. Con los hijos hice un trato: a cambio de acompañarnos al *Gran Teatro* a oír a *Clayderman*, les ofrecí comprarles boletos para asistir a la presentación de un(a) cantante extranjero(a) de difícil identificación sexual que vendría a Guatemala dentro de un par de semanas.

CINCO

Francis se emperifolló más de lo conveniente, en tanto que a Kevin y Jennifer se les tuvo que obligar a que se vistieran decentemente, sobre todo el muchacho que quería ir al concierto de *Clayderman* con jeans y chaqueta de cuero, y calzando zapatos de tenis. Mi mujer pretendía que yo me pusiera el smoking de mi casamiento, pero logré persuadirla para ir vestido con un sobrio traje negro, porque en el smoking ya no cabía, por haber engordado.

Con más de media hora de anticipación llegamos al Centro Cultural Miguel Angel Asturias y, después de estacionar el automóvil en el sitio apropiado, nos dirigimos al Gran Teatro, en cuyo vestíbulo ya había un buen grupo de personas, en tanto que otras formaban filas ante las ventanillas de la venta de boletos.

En el *lobby* (como Francis insistía en designar al vestíbulo) saludamos ligeramente al ginecólogo de mi mujer, estrechamos las manos del licenciado Ruperto Riva de la Peña y de su esposa, conversamos un rato con la directora del colegio de Jennifer, quien se hacía acompañar de un jovenzuelo lánguido, lampiño y fumador, y minutos antes de comenzar la audición platiqué con un viejo amigo mío que hace años no veía, el ahora próspero hombre de negocios, don Obdulio Hidalgo Lobo, que de antiguo burócrata devino en legislador y en contratista del Gobierno.

SEIS

Alrededor de las 11 de la noche salimos del Gran Teatro, y después de saludar a algunas personas en el vestíbulo, retornamos a casa. Francis maneja, los dos hijos dormitan en la parte posterior del automóvil, y yo al lado de mi esposa.

Fuera de los impertinentes comentarios de mi consorte en torno al maquillaje, vestuario o zapatos de indistintas damas y de los aplausos que palmeó presuntamente premiando a los músicos, en momentos menos oportunos, la noche había sido espléndida.

En eso pensaba cuando la voz de Francis me sobresalta al aproximarnos a la casa.

—¡Mac, mira qué raro, las luces del garaje están apagadas!

—A lo mejor no las dejamos encendidas...

—¡No seas tonto!, no ves que la alarma no funciona de noche si no está encendido el foco del frente de la casa.

—Se ha de haber quemado. No nos alteremos.

Con mucha rapidez nos bajamos del automóvil, abrimos la puerta del garaje, encendemos las luces y... ¡Oh sorpresa!, no está el Nissan Sentra, aunque sí el picop.

De no ser porque Kevin está detrás de ella, Francis hubiese caído al piso. Mi hijo la sostiene, y abriendo prontamente la puerta de acceso a la sala, la introduce allí, para sentarla, a tientas, en uno de los muebles. Enciendo las luces e inmediatamente nos percatamos que falta el televisor a colores de 40 pulgadas y el equipo de sonido de componentes. Tampoco está un paisaje de Jorge Mazariegos ni un cuadro impresionista de Isabel Ruiz.

Cuando entramos a los dormitorios y los otros ambientes, nos damos cuenta que se habían robado joyas y ropa fina de Francis y Jennifer, otros tres televisores, el horno de microondas, mi aparato de sonido, la lustradora, la aspiradora y otros artefactos.

Mi mujer no da crédito a lo que ve, por lo que opta por desmayarse de nuevo.

El lejano ulular de una sirena de autopatrulla me alerta para llamar a la Policía, pero el teléfono no funciona. Salgo al garaje para establecer si la incomunicación telefónica y el bloqueo de la alarma obedecen a un desperfecto en la caja de seguridad donde se conectan los alambres de la energía eléctrica.

Al agacharme, casi debajo de la llanta delantera derecha del picop, descubro una pequeña bolsa de papel. Impelido por la curiosidad la levanto y noto que pesa un poco. Tiene algo. La abro e introduzco mi mano derecha. Al palpar, inmediatamente me percato de que es un revólver.

Involuntariamente empuño el arma y la saco de la bolsa, de la que se desliza una tarjeta mecanografiada. La leo: «¿Qué tal Clayderman? Ahora les toca la segunda función. Rafael».

Coléricamente rasgo el pequeño papel, sin entender la totalidad del mensaje. De pronto percibo que varias sirenas de la Policía difunden su sonido e irradian sus luces de colores frente a la casa. Mi esposa, ya recuperada de nuevo, y mis hijos llegan al garaje.

Francis abre la puerta de calle ante los insistentes toquidos y voces airadas con palabras soeces que se escuchan. Alrededor de veinte hombres entran violentamente a la casa, unos ataviados de azul claro y otros vestidos de civil. Un sujeto bigotudo me arrebata el revólver que, estupefacto, sostengo con la mano derecha a la altura de la pierna, y otro hombre me empuja con ímpetu hacia la pared, mientras que mi familia es sometida a la impotencia.

—¡Aquí está! ¡Tal como nos lo soplaron! —grita un individuo cubierto con una sucia gabardina, al tiempo que abre la portezuela derecha del picop e ilumina con una lámpara de mano el interior del vehículo. Volteo a ver y lo que miro me horroriza: un muchacho de unos 23 años de edad, vestido con el uniforme de la Policía Militar Ambulante, yace boca arriba del asiento, con los ojos terriblemente abiertos, y una mancha de sangre coagulada baña el lado izquierdo de su rostro, en cuya sien se advierte un pequeño agujero.

Sobre sus piernas, un maletín con el logotipo del Banco de Desarrollo Urbano. Engrilletado y ante el estupor de mi esposa y mis hijos, dos agentes me introducen en una autopatrulla.

Temo que la venganza de Rafael se ha consumado.

Relevo en la madrugada

Después de las doce de la noche terminaban los programas en la televisión. Ni siquiera documentales mal hechos. Lo último que Romualdo había visto fue el postrer noticiario del canal 8, y la información que recibió no fue, precisamente, un estímulo para conciliar el sueño.

Casi todas las noticias de aquel día de noviembre de 1983 se refirieron a acontecimientos pesimistas y catastróficos, desde el anuncio que hizo el ministro de Economía respecto a que a partir de esa misma fecha se autorizaban precios más altos para una variedad de alimentos, hasta el contenido de despachos noticiosos provenientes del Medio Oriente en torno a la inminencia de una nueva guerra árabe-israelí, sin excluir los últimos informes de la escalada de la confrontación retórica entre Estados Unidos y la Unión Soviética, agudizando la Guerra Fría, y, por supuesto, el resumen de los actos de violencia registrados en Guatemala, con el saldo de una veintena de muertos y muchos más heridos, así como edificios semidestruidos por las explosiones de bombas terroristas y el secuestro de varios dirigentes sindicales y estudiantiles.

Romualdo le deseó las buenas noches a su mujer, sin mayor convicción, y al quedarse a oscuras, encendió un cigarrillo. La claridad de la noche, pues había luna llena, penetraba en la habitación a través de los vidrios colocados en el dintel de la puerta que comunicaba al patio interior de la casa. A lo lejos se escuchaba el monótono zumbido de los vehículos que circulaban aún por la arteria principal del barrio, situado en la periferia de la ciudad.

Aproximadamente había transcurrido una hora y Romualdo seguía en ese estado tan especial que conoce muy bien el insomne. Aletargado. Ni totalmente despierto, pero tampoco dormido. El silencio era total. De vez en cuando se oía lejanamente el escape de un moto; pero, de repente, Romualdo creyó escuchar algunos ruidos apagados, inexplicables a la primera intención. Se concentró y logró establecer que alguien se deslizaba cautelosamente en la sala o el comedor, cerca del garaje.

Con suma prudencia se sentó al borde de la cama e intentó despertar a su mujer. Al pensar en los niños que dormían en otra habitación, Romualdo se acordó de las experiencias que habían tenido amigos o conocidos suyos al enfrentarse a ladrones. Porque ahora estaba casi seguro que quien estuviera dentro de su casa no podía ser otro más que un ladrón, porque él era ajeno a cualquier movimiento político, social o sindical. Ni siquiera pertenecía a algún club ni al comité de vecinos, para evitarse problemas.

De todas formas, movió suavemente el hombro de Amalia, quien se sobresaltó al sentir las manos de Romualdo, moviéndola acompasadamente. Le susurró en el oído que no se moviera de inmediato y que no hablara. Luego, en voz baja le dio a conocer sus temores.

Sin encender la luz, Romualdo se guió a tientas hasta donde debería estar el arma de fuego que le había comprado de ganga a un borracho empedernido, meses atrás. Le apenaba pensar que la pistola o la escuadra, que para el caso le era irrelevante, sobre todo porque no conocía de armas, no estuviera en la bolsa de pecho de uno de sus sacos, el que casi nunca usaba, colgado en una cercha al fondo del armario. Es que solamente una vez había disparado con ese artefacto de fuego, una noche de tantas, para asustar a los gatos que habían convertido el tejado de su casa en sitio propicio para dirimir sus diferencias acerca de los favores que dispensaría una gata a sus múltiples pretendientes.

Sigilosamente introdujo el brazo derecho en el mueble, palpando los trajes colgados sin preferencia alguna, hasta, que, para su consuelo, pudo tocar el metal. Con decisión, pero sin habilidad, empuñó el arma.

"Según lo que han dicho, los ladrones entran a las casas dispuestos a todo, llegando hasta el asesinato si con ello salvan el pellejo –meditó Romualdo–; pero yo no voy a apuntarle al cuerpo. Voy a disparar al aire o, en último caso, a las piernas del ladrón".

Amalia, mientras tanto, se había puesto de pie, y después de alcanzarle la bata a su marido se puso el camisón.

Lentamente, ambos caminaron hacia la puerta. Internamente se culpaban por no haberle echado aceite a las bisagras de la puerta que chirriaba cada vez que la abrían o cerraban.

Mojadas las manos por el sudor, Romualdo se secó la palma de la diestra con su bata y tomó fuertemente el picaporte de la puerta, que cedió ante el rápido jalón.

En un par de segundos, Romualdo salió al pasillo, seguido de su mujer. La luz de la luna y el alumbrado eléctrico de la calle que penetraban a la casa permitían ver con relativa claridad. En eso, una figura de forma humana se deslizó hacia el garaje. Amalia oprimió el interruptor de la lámpara que le quedaba a mano, y el ladrón, al verse descubierto corrió hacia la salida.

Tal como se lo había propuesto, Romualdo levantó la pistola y disparó hacia arriba, pues estaba convencido que no podría herir al maleante, y en vista de que ya había salido de la sala probablemente no le atinaría.

Todavía con el arma humeante y queriendo descubrir el sitio donde había penetrado el proyectil disparado, Romualdo alzó la vista, para darse cuenta, al igual que su mujer, que el hombre que salió huyendo había llegado acompañado.

En las gradas que comunican a una pequeña biblioteca instalada en la planta alta, justamente arriba del comedor, estaba otro hombre. Yacía inmóvil, sobre el costado derecho. Amalia lanzó un grito que intentó ahogar con las palmas de las manos, y Romualdo, con los ojos desorbitados, estático, asombrado, dejó caer el arma al piso.

Los dos pequeños niños, de 4 y 2 años de edad, seguían durmiendo, ajenos a los acontecimientos que ocurrían en su casa.

Paulatinamente, marido y mujer fueron volviendo a la realidad y recuperaron parcialmente la serenidad, aunque sus cuerpos aún temblaban de temor.

Se encaminaron hacia las gradas y ascendieron lentamente. El desconocido estaba muerto. El proyectil disparado por Romualdo había penetrado en el lado izquierdo de la garganta, casi en la quijada, internándose en el cerebro, posiblemente. Ni Amalia ni su marido estaban para determinar la trayectoria de la bala. Únicamente podían ver los ojos fijos del occiso, la sangre que manaba de su boca y nariz, formando una oscura y extendida mancha en la alfombra.

La ropa que vestía el intruso y los zapatos que calzaba movían a pensar que se trataba de una persona sin mayor fortuna, un obrero desempleado, quizá, como de unos treinta y cinco años de edad.

Romualdo y Amalia, ya moderadamente calmados, se miraron entre sí, buscando una solución al difícil problema que, inopinadamente, se enfrentaban.

Inicialmente, la mujer quiso llamar por teléfono a la Policía, para dar cuenta de lo sucedido. Sin embargo, no logró encontrar la guía telefónica y el tiempo que transcurrió en la búsqueda fue suficiente para que Romualdo reflexionara.

Le habían contado, un día de tantos en rueda de amigos, que otras personas que encararon similares circunstancias, después de enterar a las autoridades de lo acontecido, fueron conducidas a comisarías policiales y después a centros de detención preventiva, al lado de delincuentes de toda especie, mientras se seguía el procedimiento judicial y se esclarecía el suceso, con toda la secuela que ello implicaba en sus actividades laborales, sus relaciones sociales y sus involuntarios nexos con toda clase de hampones en la prisión donde permanecían detenidos en tanto lograban salir bajo fianza.

Otras personas —le habían comentado—, escuchando recomendaciones de sus propios abogados, a quienes habían comunicado el caso inmediatamente, e incluso atendiendo consejos de funcionarios de tercera o cuarta categoría, habían optado por ocultar su participación en homicidios cometidos en defensa propia, botando los cadáveres en terrenos baldíos, con lo que se evitaron engorrosos trámites y situaciones por demás delicadas. Al fin y al cabo, como consecuencia de la violencia política y la criminalidad desatada, no era extraño que aparecieran cadáveres a la vera de los caminos, en el fondo de barrancos, flotando en aguas de ríos y lagos, sin que se hubieren aclarado las causas de los crímenes ni la identidad de los autores.

Romualdo y Amalia decidieron ocultar el hecho. Entre los dos tomaron el cadáver y lo bajaron de las gradas. La mujer lo asió de las piernas, y el hombre lo sostuvo del torso, con sus brazos bajo los sobacos del delincuente. "Por lo menos no es gordo", se dijo internamente Romualdo.

Sin encender los demás focos de la casa, marido y mujer sacaron el cuerpo inanimado del frustrado ladrón al garaje, dejándolo sepultado en el baúl o cajuela del automóvil. Ambos entraron a su habitación y rápidamente se vistieron con ropas que encontraron más a la mano.

En ese momento no sabían a qué lugar conducir el vehículo. Romualdo se sentó al frente del volante y puso en marcha el motor. Pensó que la suerte o el sentido común los guiaría.

Aunque se sentía el frío de la madrugada, Romualdo y Amalia sudaban. Aquél fumaba nerviosamente, en tanto que su mujer crispaba entre sus manos las faldas del abrigo con que se había cubierto apresuradamente.

El automóvil circulaba a una velocidad normal, para evitar sospechas. Salieron del barrio y llegaron a la arteria principal más próxima. Romualdo no hablaba. Tampoco lo hacía Amalia.

Aferrado al volante, el hombre miraba hacia todos lados, esperanzado en que las luces de los fanales del vehículo iluminaran un espacio más amplio, de frente, para advertir lo que les esperaba más adelante.

Sorpresivamente, de una esquina surgió una radiopatrulla con tres o cuatro agentes de la Policía Nacional Civil a bordo. Romualdo estuvo a punto de frenar violentamente, pero por fortuna el pie derecho no le respondió. Amalia, por su parte, sólo abrió desmesuradamente los ojos y se quedó con el grito atascado en la garganta.

La autopatrulla se aproximó al automóvil que conducía Romualdo, quien hizo todo lo que pudo para no delatar su nerviosismo. Los policías, sin embargo, no se percataron de los rostros desencajados de la pareja, y después de echar una rápida mirada al auto de modelo atrasado, ni siquiera hicieron el intento de detener la marcha.

Amalia y Romualdo se sintieron aliviados cuando el autopatrulla se perdió en la oscuridad de la distancia. Menos sobresaltados, discutieron en torno a la ruta que seguirían. Se impuso el criterio de la mujer, y el vehículo se encaminó hacia una calle lateral, de tierra y débilmente iluminada por amarillentos focos pendientes de delgados postes de madera.

Dos kilómetros más adelante del desvío, Romualdo estacionó el vehículo, cerca de espesos matorrales.

Ambos descendieron del automóvil y fueron a explorar el terreno, sigilosamente. Se trataba de una pendiente ligeramente inclinada, de manera que pensaron que no sería muy difícil bajar con el cadáver a cuestas algunos metros.

Abrieron la cajuela del vehículo y levantaron el cuerpo inanimado del ladrón, hasta depositarlo en la hierba mojada por el rocío de la noche.

La luna se ocultaba por el poniente.

Sin descuidar su atención de lo que les rodeaba, Romualdo y Amalia tomaron fuerzas y nuevamente alzaron el cadáver, como cuando lo bajaron de las gradas de su casa. La mujer, sobreponiéndose al miedo que le aterraba, cerró los ojos del occiso porque creía que la miraba fijamente, acusándola o mortificándola.

Descendieron lentamente, haciendo pausas, y llegaron a un sitio que creyeron apropiado, para dejar allí el cadáver, oculto entre la hojarasca y residuos de objetos inservibles.

Una vez realizada la tarea, los dos retornaron al camino, ascendiendo jadeantes los aproximadamente cincuenta metros que habían descendido.

Cuando se acercaron a la calle donde estaba estacionado su automóvil, escucharon el ronronear del motor de otro vehículo que se había detenido justo al lado del primero.

Aunque las iniciales luces del alba se asomaban ligeramente, la penumbra no permitía observar con plenitud lo que pudiera estar ocurriendo en la arteria, además de que ninguno de los dos tenía la menor intención de asomar la cara entre la maleza.

Agazapados, se dedicaron a escuchar detenidamente lo que ocurría. Oyeron que dos o tres hombres, a lo sumo, hablaban entre sí. Sin embargo, segundos más tarde pidieron escuchar que uno de los sujetos ordenada a otro: ¡Cerrá el baúl!, y, luego, el ruido característico de esta maniobra.

Marido y mujer se recordaron entonces que, en su precipitación por abandonar el cadáver lo más pronto posible, la cajuela de su automóvil había quedado abierta.

Inmediatamente oyeron que el otro vehículo, cuyo motor se mantuvo encendido, aunque en punto muerto, se alejaba velozmente del lugar.

De nuevo, Romualdo y Amalia se sintieron aliviados y rápidamente culminaron su ascenso y prestamente ocuparon sus asientos en el coche.

Los primero radiantes rayos del sol iluminaban el inmaculado cielo azul.

Al llegar a su casa, el marido estacionó el carro en el garaje y cerró las puertas.

Pensó que era conveniente limpiar de inmediato la alfombra de la sala, a fin de borrar todo vestigio de lo que había ocurrido la noche anterior. Mejor dicho, esa madrugada.

Fue preciso quitar la alfombra donde había caído muerto el asaltante y el rastro que dejó cuando lo levantaron en vilo, porque la sangre impregnada no se podía lavar, de manera que la quemaron en el patio trasero, junto con la ropa que ambos se habían vestido.

Los niños aún dormían.

Una vez efectuada esa labor, la pareja dispuso hacer lo mismo con el baúl del automóvil.

Mientras Romualdo buscaba un recipiente con agua, escuchó más que grito, el alarido de su mujer. Corrió presuroso hacia el garaje. De pie, atrás del carro, cuya cajuela estaba abierta, se encontraba Amalia, con el rostro demudado, lívido, el cuerpo tembloroso, las manos intentado apretar su boca y los ojos entrecerrados.

El cadáver de una mujer joven, en posición fetal, con coagulado hilillo de sangre en las comisuras de la boca, las manos amputadas, las pupilas abiertas, semidesnudo, yacía allí, inmóvil, rígido, estupefacto.

CUENTERAILES

Sacristán

—No crea, los primeros tiempos fueron difíciles –advierte el señor Solórzano al sobrino de su mujer que lo visita en su despacho, con el propósito de encontrar colocación en la empresa de la que su tío político es el gerente y copropietario–. Gracias a Dios y al señor Romualdo Machamé, que en paz descanse, que ahora ocupo esta posición. Cuando me inicié en los negocios, y hasta la fecha, únicamente había cursado el primer grado de primaria y cuando comencé a trabajar con don Romualdo yo era un alfabeto en desuso, tanto es así que...

—¡Qué habilidad la suya para vender, Edgar! –me decía don Romualdo–; vea nada más cuántos pedidos nos han hecho hoy y durante todo el viaje.

—Es usted muy amable, pero si no fuera por sus contactos y experiencia no podríamos hacer ninguna venta —le respondí.

—Es cierto, relativamente; sin embargo, se requiere ser un buen vendedor para convencer a nuestros clientes de la forma como usted lo hace. En fin, ahora a hacer nuestra tarea diaria.

Estábamos en un hotel modesto y acogedor de Malacatán, en la frontera con México, hasta donde habíamos llegado con don Romualdo en nuestro recorrido por toda la costa del Pacífico, cuyas poblaciones se incluían en nuestra ruta de agentes viajeros. Era mi primera gira, después de haber salido de Santa Ana en El Salvador, cuatro semanas antes.

Dos meses atrás trabajaba yo de ayudante en la sacristía de la parroquia El Buen Pastor, en un barrio de aquella ciudad.

Repentinamente falleció de un paro cardíaco el sacristán, Agustín Rivera, y yo me creí con derecho de sucederle, sin contar con el requisito indispensable que determinó el cura párroco.

Advirtió que para ocupar el puesto de sacristán el candidato debería saber leer y escribir, por algunas sencillas tareas que debía de hacer con la correspondencia y en las compras del mercado; y yo era casi un analfabeto. Bueno, sin el casi.

Decepcionado por la frustración no quise seguir de ayudante de sacristán, por lo que con la ayuda de un amigo busqué trabajo en la empresa cuyo gerente confió en mí, posiblemente porque no tenía quién le cubriera la plaza de agente viajero en la Costa Sur de Guatemala, toda vez que el señor Machamé iba a ascender al cargo de supervisor. A este gerente tuve el cuidado de ocultarle mi condición de iletrado, además de que él dio por sentado que, por mis 26 años de edad, yo sabía leer y escribir correctamente; pero, ya en el camino, a don Romualdo tuve que decirle la verdad.

Y allí estaba ofreciendo camisas, pantalones, telas para vestido de mujer, enseres de cocina y comedor, ropa de cama y cuanta mercancía pueda usted imaginar, a los dueños de misceláneas, almacenes, abarroterías y tiendas, a quienes don Romualdo ya había tratado.

Era, precisamente, el señor Machamé quien, después de cenar, todas las noches me enseñaba las lecciones elementales de gramática y aritmética, además de ponerme al tanto de las peculiaridades de los clientes que visitamos. Tenía la confianza de que en poco tiempo conocería los secretos más importantes de tan difíciles disciplinas. Hasta entonces don Romualdo seguía escribiendo los pedidos, mientras que yo, con más astucia que conocimientos, pero poniendo todo mi entusiasmo en ello y haciendo gala del más fervoroso poder de convencimiento, ponderaba las virtudes de la mercancía que vendíamos.

—Hemos avanzado bastante, Edgar —me dice don Romualdo una noche, mientras cerraba el libro y los cuadernos—. Creo que al terminar esta gira ciertamente usted no se habrá convertido en un novelista ni leerá la Odisea, como tampoco efectuará operaciones logarítmicas; pero sí podrá tomar escrupulosamente los pedidos y hacer las cuentas. Es obvio que tiene mucha capacidad de aprendizaje, además de su innata habilidad para las ventas. Insisto en decirle que estoy sumamente impresionado por la facilidad suya para los negocios, tomando en consideración, especialmente, sus deficiencias en gramática y matemática. A veces yo me hago la pregunta que ahora se la voy a plantear:

—¿Dónde estaría, Edgar, si supiera leer y escribir correcta y eficientemente?

—Muy sencillo —respondo— estaría de sacristán.

ANTICONCEPTIVOS

Yolanda se levantó ese día con nuevos bríos. Tenía toda la intención de cambiar. Aunque no era una perdida, como algunas de sus amigas solían exagerar, ella misma sospechaba de su dudosa honorabilidad, que calificaba de no ser otra cosa más que un ejemplo de la frivolidad femenina de la época. «Pero de hoy en adelante ya no más enredos sentimentales, nada de aventuras amorosas ni de escapadas nocturnas», reflexionó.

Ayer mismo, en la tarde, fue a una reunión de señoras honorables y señoritas casaderas de su vecindario, en la colonia Miraflores, en la zona 11 de la ciudad. En eso pensaba, justamente, al descender del autobús que la condujo a la zona 1, en el centro de la capital. Había asistido a la reunión femenina con el objeto de iniciar nuevas relaciones, y nada mejor que con sus vecinas que semanalmente se reunían para hacer manualidades, celebrar sus cumpleaños, tomar café y comer bocadillos, así como, si se presentaba la oportunidad (que era muy a menudo, por cierto), hacer comentarios en torno a la conducta de las vecinas ausentes, sobre todo si no gozaban de las simpatías del grupo reunido, y aunque así fuese.

Sostuvo una plática superficial con María de los Ángeles, la cuarentona secretaria ejecutiva bilingüe del Banco del Sur, cuyo pequeño jardín era su orgullo. Cuando Yolanda («Mejor te digo Yoly, suena más afectivo», le dijo Marielos) le contó a su recién estrenada amiga que no prosperaban las violetas que cultivaba en unas macetas de barro de Chinautla, la eficiente empleada del sector financiero privado le dio un consejo. Al principio, Yolanda creyó que Marielos le estaba tomando el pelo. «Lo que necesitan tus violetas son píldoras anticonceptivas», le dijo casi confidencialmente.

Luego, la maestra de escuela que frisaba los 30 años y que hacía su noviciado en esa clase de tertulias percibió cierto tono de sarcasmo en la voz de Marielos, al agregar ésta:

—Como me imagino que no tienes en casa y que no sueles tomarlas, te recomiendo que las compres en Aprofam, pues allí son más baratas y, según tengo entendido, por lo que tú me contaste, queda cerca de la escuela donde trabajás.

Yolanda pensó «Esta algo sabe la muy cabroncita». Pero no, María de los Angeles estaba desprovista de segundas intenciones, al menos en ese momento, de manera que hablaba con naturalidad.

Al caminar, cimbreando espontáneamente las caderas y conforme se acercaba a la «Escuela Nacional Urbana para Varones No. 57 María Olimpia Villatoro Barrios», donde era maestra del 5o. año de primaria, Yolanda recordó que, efectivamente, hacía dos o tres meses que no compraba píldoras anticonceptivas, porque a su último novio, un hombre ya pasados los 50 y divorciado por tercera vez, le habían practicado exitosamente la vasectomía, precisamente en las clínicas de la Asociación pro Bienestar de la Familia, pues ella había leído («con mis propios ojos») el informe médico, para mayor seguridad. «Eso se acabó... debo formalizarme», se convenció.

Entró al edificio escolar.

—Buenos días, don Chepito, ¿cómo amaneció? —saludó con afecto.

—¡Imagínese usted, es viernes y tendremos asueto el próximo lunes! Como que me iré a mi pueblo —respondió con amabilidad José Romualdo López Gómez, conserje y mensajero del establecimiento escolar estatal—. Pero mientras tanto aquí estoy a sus órdenes, seño Yoly.

—Me adivinó el pensamiento, don Chepito, quiero pedirle un favor: como usted lo envían a hacer mandados, le voy a agradecer que si pasa cerca de la Aprofam me compré una caja de píldoras anticonceptivas. Tome, aquí tiene veinte quetzales. ¿Me hace la campaña, verdad?

—Desde luego que sí; descuide usted —dijo, tratando de ocultar una sonrisa que la maestra calificó de maliciosa. «Este don Chepito no es una mansa paloma, también se las trae consigo —se dijo para sí Yolanda— pero para qué le voy a dar explicaciones».

Marielos le había aconsejado que diluyera las píldoras anticonceptivas en un frasco pequeño con agua, y que, luego, derramara el contenido sobre las violetas. «Vas a ver cómo se te van a poner de lindas», le aseguró.

Una hora había pasado del primer encuentro con José R. López G. cuando de nuevo Yolanda lo encontró en un corredor de la escuela. No había podido ir. No importaba, aún era temprano.

A la hora del recreo, don Chepito se le acercó para indicarle que dentro de poco saldría a hacer unas compras de la directora del plantel y que entonces pasaría por la Aprofam. Sin embargo, a las 11 de la mañana no había salido del vetusto edificio.

—No se preocupe, don Chepito; pero como usted me ofreció, confío en que me hará el favor —le rogó Yolanda de nuevo al toparse otra vez con el conserje.

—Pierda cuidado, seño Yoly, así será. Yo ya sé que le urgen...

—Bueno, no es para tanto.

—Pero como hoy es viernes... y luego viene el feriado del lunes... —insistió el viejo conserje.

—Sí, sí, sí; no tenga pena —replicó la maestra.

La mera verdad es que a Yolanda, en los ajetreos de estar dando clases, regañando a los niños, limpiando el pizarrón, atendiendo preguntas, leyendo apuntes, se había olvidado de María de los Angeles, las violetas, las pastillas, la Aprofam, el conserje de la escuela, cuando faltando pocos minutos para terminar la jornada, en el dintel de la puerta del aula se asomó el inefable don Chepito, quien se aproximó a la maestra.

Casi subrepticiamente el conserje le acercó una mano a la profesora para entregarle un pequeño paquete y susurrarles al oído:

—Fíjese, seño Yoly, que la directora ya no me mandó a hacer nada a la calle; sin embargo, como veía que usted está muy urgida, en un momento me escapé de la escuela, pero como no podía ir hasta las oficinas de la Aprofam, fui a la farmacia que está a dos cuadras de aquí y le compré cuatro condones bien lubricados. Cabal el billete que me dio: a cinco quetzales cada uno. Son de los finos. Aquí los tiene. Ojalá que le alcancen para el fin de semana. Y perdone el atraso ¿oye?

DESVELADOS

A causa de un litigio que tengo a mi cargo y que se está complicando, me ha costado mucho conciliar el sueño, y cuando recién comienzo a dormir siento que me agitan el hombro derecho.

Es Almita, quien me alerta:

—Gustavo... Gustavo... despierta... Gustavo...

—¿Qué pasa?, ¿qué hora es?, ¿quién se murió?

—No seas payaso, no se ha muerto nadie, por lo menos eso espero. ¿No oyes que están tocando el timbre de la puerta?

De verdad que alguien oprime el timbre con mucha insistencia.

Mi mujer enciende la lámpara de la mesa de noche. Miro mi reloj: ¡Púchica... son las 2 de la madrugada! ¿Quién podrá ser el que está tocando a estas horas? Debe ser alguna emergencia.

Nos levantamos con Almita. Me pongo la bata, enciendo luces en el cuarto y luego en la sala. Abro con precaución una ventanilla en la puerta que da a la calle, está lloviznando y en medio de la penumbra distingo el rostro de mi vecino.

—¡Don Romualdo... se está mojando, hombre! ¿Qué pena tiene? ¿En qué le puedo servir? Vamos, pase adelante.

—Gracias, licenciado. Perdone la molestia, pero me urge hacer una llamada y mi teléfono está descompuesto.

—No faltaba más; desde luego que sí, úselo. Y tú, Almita —le digo a mi mujer mientras nuestro inesperado visitante toma el teléfono–, ve si le preparas algo a don Romualdo; mira cómo tiene la cara. Tal vez quiere un roncito, un café o una pastilla tranquilizante, o quizás le puedes hacer un poco de agua de ruda. Mira cómo está el pobre que ni siquiera puede marcar bien el número telefónico. ¿Qué le pudo haber pasado? Y para ajuste de penas está lloviendo un poco.

—Perdone, licenciado, pero siempre suena ocupado... —se disculpa.

—Pierda cuidado, don Romualdo, usted siga intentando, y mientras tanto ¿quisiera tomar algo... un café... un traguito...?

—Si no es mucha molestia, le agradecería un güisquito.

—Sólo tengo ron...

—No importa, licenciado, usted disculpe tanta molestia.

—Usted siga tratando de llamar... Almita, tráeme la botella de ron con un vaso, por favor... Fíjate que no le entra la llamada, y está muy nervioso. Algo grave le debe estar pasando para venir a estas horas. Luego le preguntamos qué pena tiene... Creo que ya logró comunicación.

Ansiosos, los dos con mi mujer vemos la torpeza de don Romualdo para marcar el número telefónico, pero nos aliviamos al escuchar sus primeras palabras:

—¿Aloooooó...? ¿Me oye? ¿Con el «Club de los Desvelados»? ¡A vaya! Oiga, la canción que estaban tocando hace pocos minutos es «La Barca», de Roberto Cantoral y la canta el trío «Los Tres Caballeros»... ¿Ninguno había llamado antes atinando con la respuestas? ¡Qué buena suerte la mía!... Es que tengo descompuesto mi teléfono, pero el licenciado De León es tan fino que me prestó el suyo... Sí, ahorita le doy mis datos para que puedan identificarme cuando vaya a recoger el premio... ¿O no me lo pueden mandar a mi casa?

AMANTES

—Yo no sé qué es lo que pensás, Guillermo; pero en lo que a mí respecta, tengo dudas en cuanto a lo que hace mi mamá con el dinero que le damos para los gastos de la casa.

—¿Pues qué va a hacer si no a comprar lo que tiene que comprar y pagar lo que tiene que pagar?

—Vos estás jodido, ¿no ves que siempre está diciendo que no le alcanza lo que le damos? A mí se me hace que hay gato encerrado...

—¿Cómo así...? Sería mejor que te explicaras.

—Mirá, Yemo, me da pena decirlo, pero a mí se me ha metido en la cabeza que mi mamá tiene un amante...

—¡Cómo decís eso, baboso! ¡No la fregués, hombre!

—Calmate... y oíme ¿cómo puede ser que con el dinero que vos y yo le damos no le alcance, si sólo somos cuatro, además del hijo de la Julia, que apenas es un chirís? Y vos sólo venís a la casa los fines de semana, y no siempre. Sólo hay una explicación: que mi mamá gaste la plata en otras cosas, y si te fijás bien verás que desde hace tiempo anda un poco sospechosa. Por eso yo creo que tiene un amante, y es a él a quien le da dinero.

—Pero si mi mamá ya está vieja, vos...

—Por eso, precisamente, es que tiene que darle dinero a su amante ¿no ves?

—La mejor forma de aclarar todo es que se hagan las cuentas con mi mamá, y como vos sos el que tiene dudas, hacé las cuentas con ella, Romualdo. Mejor si está presente la Julia, pues al fin de todo también ella contribuye con algo.

—Con lo que contribuye nuestra querida hermana es para la leche de su hijo.

—Como querrás, pero hacé las cuentas, y entonces me decís lo que pasó. Vos sabés que a mí no me gusta meterme en esas cosas. Voy a colgar porque me están esperando. Siempre me llamás ¿O.K.?

—¿Sos vos, Romualdo? Estuve esperando tu llamada...

—Hola, Guillermo, creí que ibas a venir el viernes... o el sábado...

—No, no fue posible, pero contame ¿qué pasó con mi mamá?, ¿qué sacaste en claro?

—Tal como quedamos, nos reunimos los tres: mamá, la Julia y yo, con papel, lápiz, calculadora, facturas de supermercados, recibos de agua, la luz, teléfono, servicio de limpieza, lavandería... en fin, todos los papeles de gastos comprobables...

—¿Y...?

—Pues te vas a llevar una sorpresa. Fijate que mi mamá tiene razón: lo que le damos no es suficiente para pagar todas las cuentas, y lo que le da la Julia ayuda un poco, pero los gastos a veces son mayores que las entradas. Podríamos decir que mamá está en déficit.

—Ha de estar haciendo milagros para no meterse a deudas. Bueno, pues, si es como decís, si no le alcanza lo que le damos, algo tendremos que hacer.

—No necesariamente nosotros.

—¿Y quién, entonces?

—Su amante.

—¿Amante de quién?

—De tu mamá, pues. O de la mía, como querrás.

—¿Y no decías vos que mi mamá le daba dinero a su supuesto amante? ¿No me decís ahora que no le alcanza el dinero que le damos? ¿En qué quedamos por fin?

—¡Cómo serás de baboso! ¡No ves que ahora sí se aclara todo, grandísimo tonto!

—¿Cómo así?

—Pues si el dinero que nosotros le damos a nuestra madre, ¿oíste bien?, a nuestra madre, no le alcanza para los gastos de la casa, y si así ha subsistido durante los últimos meses, es que alguien la está financiando. ¿Y quién podría ser?: un amante. No un amante que recibe, como creía yo en un principio, sino un amante que da... Es la única explicación que le encuentro al asunto este. Todo se reduce a lo que te dije desde un principio: nuestra madre tiene un amante.

Zapatos

—Ya está viniendo más gente al velorio, Romualdo; acaban de llegar tus cuñados. Deben estar apesarados por la muerte de su hermana.

—Sí, les ha dolido, pero yo en lo que pienso es en mis hijos.

—Naturalmente. A vos te ha afectado más. Estás muy cansado, pero debés de darle fortaleza a los patojos. Y aunque yo sé que tu dolor lo llevás muy adentro, sería bueno que te cambiaras de ropa, para guardar las apariencias. Ponete una camisa blanca, pantalones negros y quitate esos tenis que llevás puestos... ¿O no tenés zapatos de vestir?

—Fijate que si algo tengo son zapatos. Mi hijo René me acaba de regalar un par de botas, el otro hijo que vive en Los Angeles me mandó dos pares, y la Reinita, mi hija, me dio otro par de mocasinas. Todos esos zapatos ni siquiera me los he estrenado, pues no me los puedo poner.

—¿Por qué, vos?

—Es que con eso de los gastos por la enfermedad de mi mujer... ¡le debo a tanta gente!

EL PASTOR

La madre abre la puerta del dormitorio y dice: Romualdo, Hijo, levántese que ya es tarde, son las 9 de la mañana, acuérdese que ya es mayorcito, tiene 40 años, además de que hoy es domingo, debe ir a la iglesia y como usted es el pastor tiene que predicar.

LOS POLOCOS

Estaban amontonados en las ventanas de la casa de tío Tono, viendo pasar a las alumnas de secundaria del Instituto Normal Justo Rufino Barrios. Como acababa de celebrarse las fiestas del 15 de septiembre, aniversario de la independencia de Guatemala y los otros países centroamericanos, el frente de la casa de Los Polocos todavía lucía los adornos, un poco desteñidos, que se habían colocado durante los festejos patrios, como casi en todas las demás viviendas del barrio de San Nicolás, y del pueblo en general.

De los barrotes y dinteles de las ventanas aún colgaban listones azul y blanco y banderas de papel de china con los colores nacionales.

Gilacha, Távish, El Chivo, Romualdo, Guayo Ratón y Leonel ocupaban una de las ventanas, y en la otra estaban Pajarraco, Guillermo Bode, Maco Chompipe, Roberto Empanada y Tonito, el hijo mediano de tío Tono. El mayor era Leonel, y Távish el más pequeño. Cada quien le ponía atención a una prometedora patoja en especial, aunque Leonel no tenía predilección por alguien, pues «agarraba parejo», según su propia y envanecida confesión pública, que no gozaba de mucha credibilidad, por cierto; en tanto que a Gilacha no le atraía ninguna de las escolares que en ese momento pasaban frente a él y sus amigos, pues estaba gelatinosamente enamorado de la Conchita, una esmirriada estudiante del colegio San Marcos.

Algunas de las muchachas caminaban indiferentes, mientras que otras volteaban a ver disimuladamente hacia arriba y hasta se sonreían con los aspirantes mancebos, ante la muda pero severa vigilancia de las señoritas inspectoras; tan tiesas, como gabachas recién almidonadas. Dos metros separaban a las muchachas de sus admiradores cuando pasaban casi bajo las ventanas.

Los jóvenes estaban expectantes, menos uno. A éste se le presentaron en forma repentina, inoportuna e inequívoca, otras motivaciones fisiológicas más apremiantes, justamente a la mitad del desfile de las doncellas. Una fuerza mayor a sus sinceros deseos y afanes de contemplar la despuntante belleza femenina lo apartaba, al menos momentáneamente, de sus amigos y hermanos y del cotidiano espectáculo que disfrutaba al medio día.

—Ahorita vengo, muchá —avisó Leonel inopinadamenmte, en voz baja—, voy al escusado porque ya me cago.

Al pronunciar esta escatológica expresión, el hijo mayor de tío Tono desprendió de las ventanas dos o tres banderas de papel. Nadie le puso especial atención, en vista de lo intrascendente de su vulgar anuncio. Se limitaron a abrirle el espacio necesario para que saliera del lugar donde se reunía el pequeño grupo, absortos como se encontraban mirando a las muchachas.

Diez metros, si acaso, habría caminado Leonel en el patio con rumbo al retrete, a paso ligero porque no podía correr, dadas las circunstancias personales que le afligían, cuando Távish, saliendo de su transitorio embeleso, se percató de lo que había dicho y hecho su hermano mayor.

El hijo más pequeño de tío Tono también se separó del grupo; con rapidez buscó y encontró en la amplia habitación donde dormían los «Polocos» y pensionistas, el suplemento dominical de un periódico de fecha reciente, corrió raudamente detrás de Leonel, y al tiempo que agitaba las hojas del diario atrasado, le gritó con encendido patriotismo:

—¡Leonelito! ¡Leonelito! ¡No se vaya a limpiar el culo con la bandera!

Lo alcanzó justo cuando el hermano mayor, con el pantalón desabrochado y a media pierna, iba a cerrar la puerta del escusado. Le arrebató las banderas de papel con los colores azul y blanco y le entregó el suplemento dominical alusivo a la independencia, que contenía la letra del Himno Nacional y los retratos de don Rafael Alvarez Ovalle y don José Joaquín Palma, sus autores, entre otras motivaciones cívicas, incluyendo la Monja Blanca, la Ceiba y el Escudo Nacional.

Cuando Távish se vino a dar cuenta de su error táctico, era demasiado tarde. Leonel había concluido su necesidad fisiológica y su labor higiénica.

ASTRONAUTAS

Las cuatro o cuatro y cuarto de la tarde. Apacible, el viento sopla de Norte a Sur y lentamente mueve las blancas nubes cuyas sombras se dibujan al pie de las laderas. Distante, se asoma el cráter del volcán Tajumulco, como gigante y eterno protector de los días sin lluvia y de las noches con relámpagos intermitentes.

Ha sido una dura jornada de trabajo en los verdes sembradíos de milpa, apisonando la tierra para calzar las matas.

Al pie del viejo ciprés que otea el horizonte, dos campesinos descansan al concluir sus pesadas tareas cotidianas. Perezosamente, están recostados sobre la hierba. Al lado de ambos, dos azadones y un par de machetes. Cerca, sendos morrales con restos del almuerzo engullido a la mitad del día.

Don Romualdo es el más viejo, de aproximadamente unos cincuenta y cinco años de edad. Flaco, pero fibrudo. El bigote ralo, descuidado e hirsuto. La barba despoblada. Escaso y entrecano el cabello que protege con un gastado sombrero de petate. Se ha quitado las botas de hule y con el dedo índice de la mano izquierda escarba entre los dedos de su pie derecho, con manchas de polvo.

Benjamín es el otro. Por la edad, frisando los 30 ó 32 años, podría ser el hijo de don Romualdo. Pero no es así. Son amigos, pese a las diferencias de edad. A diferencia de don Romu, como le dicen familiarmente sus amistades, Mincho es rechoncho, cara redonda, lampiño; pero, eso sí, con abundante cabellera negra y rebelde al peine, cubierta con gorra de beisbolista que le hace publicidad gratuita a una tienda distribuidora de fertilizantes de Tejutla. La *Fúlgida villa de Tejutla*, le dicen sus hijos, especialmente los que se han ido.

Tumbados a la sombra del enhiesto árbol, don Romualdo y Benjamín han conversado sobre cualquier tema que se les ocurra, en el entendido de que es el viejo el que conduce la plática hacia el asunto que escoge y brota de repente.

—Desde luego que sí, ahí donde la mirás ahorita, pues como te habrás dado cuenta, aunque es de día la podemos ver, no creás que está cerquita. ¡Qué va! La Luna queda muy lejos, quién sabe a cuantos miles de miles de kilómetros de distancia; pero los gringos que para estas cosas son muy arrechos, ya mandaron gente hasta allá —dice al tiempo que señala con la vista.

—De eso me estaba dando cuenta el otro día —responde con seriedad Mincho—, en la casa de don Ruperto, cuando estaban leyendo las noticias en un periódico, de esos que vienen de la capital...

—Yo tuve la oportunidad de verlo por la televisión —interrumpe jactancioso don Romualdo, mientras se soba el bigote—, allá en la casa de mi yerno, en el pueblo, el que está casado con la Noya, mi hija más grande. A colores es la tele ivieras qué chulada de aparato! Esa vez me enteré que después de haber ido a la Luna, de eso hace ya más de quince o veinte años, ahora los gringos piensan enviar dos hombres al Sol.

Benjamín levanta la cabeza, asombrado. Los ojos entrecerrados y el rostro desencajado.

—¡Eso sí no lo puedo creer, don Romu! Usted me quiere tomar el pelo —reclama airadamente a su compañero de faenas..

—Si lo creés o no, es problema tuyo, Mincho, pero que los gringos van a llegar hasta el Sol es una cosa cierta. Si pudieron llegar a la Luna ¿por qué no pueden ir al Sol? ¿A ver, decime?

—Pero, don Romualdo –duda con seriedad Benjamín–, una cosa es ir a la Luna porque, al fin y al cabo, se nota que es fría o templada, tal vez; sin embargo, si aquí mismo en la Tierra cuando uno se asolea mucho se quema, quién no se va a chamuscar acercándose al Sol nada más, con mayor razón aterrizando allí, o como se diga.

—¡Cómo serás de bruto, Mincho! ¡¿Cómo se te ocurre que se vayan de día?! ¡Si los astronautas van a subir de noche al Sol, cuando no haya calor!

—¡Ahhh... bueno! Siendo así la cosa, no digo nada

PESCADORES

Siete niños se encuentran expectantes a orillas de la laguna. Han salido temprano de Tejutla acompañando a sus padres, para disfrutar de un día de campo, después de una ansiosa caminata.

Dos adultos han lanzado sendos anzuelos al agua fría y cristalina.

De los siete críos, el más ansioso es Boris, quien, a sus cinco años de edad, se enfrenta a su primera aventura de pesca.

Romualdo, hijo de precavidos padres, siente el tirón que ha dado el pez al quedar atrapado.

Se cimbra la delgada y flexible vara que sostiene el hilo, a manera de sedal, del que pende el anzuelo.

Asombrados todos, niños y adultos, se emocionan en extremo cuando, al levantar Romualdo la vara, un pececillo plateado se agita en el aire.

Los chicos observan con mucho cuidado las maniobras de Romualdo y Carlos, que se le ha unido en la delicada maniobra.

Mientras Carlos sostiene la vara, las manos inexpertas de Romualdo logran quitarle el anzuelo de la boca del pez, que se escabulle entre sus torpes dedos y cae al suelo.

Sobre la grama verde, el pececillo se agita en los que podrían ser sus postreros estertores, en tanto que los niños, estupefactos, no salen de su asombro, mirando fijamente y con la manos crispadas.

Como el pez no se rinde, pues sigue estremeciéndose, atento a los movimientos convulsivos y con los pequeños ojos casi saliéndose de las órbitas, Boris exclama:

—¡Échenlo al agua para que se ahogue! ¡Échenlo al agua para que se ahogue!

DIOS

—Fijate, vos Ricky, que don Romualdo, el maestro de religión se enojó conmigo hoy, tanto que no me dejó salir al recreo.

—Algo malo hiciste, de seguro.

—Sólo porque le dije que Dios se había equivocado.

—¿En qué se equivocó Dios, Pável?

—¿Te has fijado que la noche es oscura y que de día todo está claro? Pues cuando está oscuro es cuando debería de alumbrar el sol, y no de día cuando se puede ver bien. Allí fue donde Dios se equivocó; pero don Romualdo no lo entiende.

CHEPE

—¿Cuándo llegaste?

—Hace como una hora. No pude venir al entierro del papá de Chepe porque no me dieron permiso en el trabajo; por eso vine hasta ahora, para estar en la misa de los nueves días, por lo menos. A propósito, ¿no has visto a Chepe? Fui a buscarlo a su casa, pero no lo encontré; me dijeron que estaba por aquí, posiblemente en la fiesta de los 15 años de la Paty. Aunque no creo yo que el Chepe ande en fiestas cuando se acaba de morir su papá, ¿qué decís, vos Vito?

—Por aquí estuvo hace rato, dijo que iba a felicitar a la Paty y que luego regresaría... Allí viene, mirá...

—¿Qué tal, Romualdo? Vaya que viniste.

—¡Hola, Chepe!, te he estado buscando. Vine para darte el pésame, y en lugar de encontrarte en tu casa me dicen que estás en una fiesta. Vos si que la jodés, ni siquiera han pasado los nueve días y ya estás en una parranda, y seguramente hasta bailando estabas...

—Bueno... por puro compromiso bailé con la Paty dos o tres piezas, vos sabés que es una amiga a quien quiero mucho; pero no tengás pena porque sólo bailé piezas tristes, pues ella sabe que estoy de luto.

TÍO GÜICHO

Llegó a visitarme esa noche. Con sus setenta años a cuestas, esta vez se mostraba optimista. Viudo desde hacía un año aproximadamente, tío Luis Romualdo vivía solo en su aldea natal. Su hijo mayor que había emigrado a los Estados Unidos era quien le proveía de dinero mensualmente. Sus dos hijas estaban casadas y el otro de sus hijos había sido asesinado diez años atrás.

El tío Güicho estaba alejado temporalmente de la bebida. No había tomado licor desde que murió su mujer, cuando agarró una furia de dos meses.

—Se le mira bien, tío. Como que la vida descansada le asienta.

—No creas, m'hijo, me aburro sin hacer nada.

—Yo me acuerdo que a usted le gustaba la carpintería, ¿por qué no dedica su tiempo a hacer sillas, bancos, muebles pequeños...?

—Es muy cansado ese trabajo. Pero tengo un proyecto que voy a echar a andar.

—¡No me diga! ¿Se puede saber qué es?

—Naturalmente que sí. Voy a poner una cantina.

—¿Cómo así? ¡Usted dueño de un bar!

—Bueno, no un bar, precisamente. Te digo que voy a instalar una cantina. Ya le escribí a José Luis que me mandé dinero para alquilar el local, comprar las estanterías, mesas y sillas, así como las primeras cajas de aguardiente.

—¡Pero, tío, por Dios, usted se va a tomar todo ese licor!

—¿Cómo así?

—Con los ingratos antecedentes que tiene de su nada discreta afición a la bebida, en lugar de vender el licor, usted va a acabar con la cantina en un par de días, en cualquier momento.

—Pues estás muy equivocado, muchacho. Supiste que fui dueño de una carnicería, ¿verdad? ¿Acaso entonces me comía yo toda la carne? ¡La experiencia, hijo, la experiencia!

Limosna

A pesar de que ese domingo jugaban Municipal y Comunicaciones, el estadio de fútbol no estaba totalmente colmado de público. Donde más se notaba gente era en las gradas de general, cuyos boletos eran los más baratos. En el sector de preferencia, donde estábamos nosotros, había menos aficionados, la mayoría de los cuales vistiendo camisas rojas y blancas, indistintamente, los colores de los equipos.

Pocos eran los que le ponían atención al juego preliminar que disputaban dos oncenas de la segunda división. Sentados en las duras gradas de piedra, los aficionados tomaban cerveza, comían golosinas, discutían sobre fútbol, fumaban cigarrillos, disfrutaban del mediodía dominical radiante y soleado, en espera de que pasara la media hora que faltaba para que diera inicio el esperado choque entre rojos y cremas.

Los vendedores de gorras, banderines, dulces, cigarros y refrescos caminaban entre el público que en su mayoría estaba sentado. El ciego que guiado por su lazarillo había pasado minutos antes frente a nosotros, ya se encontraba una grada abajo donde estábamos sentados, haciendo su recorrido habitual. En ese momento, justamente, un hombre gordo y dos muchachos que le acompañaban fueron a sentarse en la grada posterior a nosotros. Casi de inmediato se percató de que el invidente pedía limosna a los aficionados que estaban próximos a él. El gordo, poniéndose de pie nuevamente y metiendo su mano derecha en el bolsillo, gritó:

—¡Hey, señor, tenga esto para usted! —y extendió el brazo.

El ciego volteó el rostro hacia donde escuchó la voz. Mientras que se sostenía del bastón con la mano derecha, guiado por su lazarillo alargó la izquierda en su vano intento de recibir las monedas.

—Deme el dinero y yo se lo doy al ciego —le dije, solícito al gordo, al darme cuenta de su infructuoso esfuerzo por acercar su mano a la del invidente.

—¡Ve que de a sombrero, entonces a usted le va a caer la bendición! —se negó, a la vez que adelantó un paso para bajar una grada a fin de aproximarse al ciego. Y lo logró.

CÉSAR

El pastor de la iglesia presbiteriana Fuente de Vida, reverendo Romualdo López, estaba intrigado por lo que había observado en el grupo de estudio bíblico que dirigía el hermano Esteban Pirir, magnífico carpintero, entusiasta seguidor del Evangelio, pero poco docto en las Sagradas Escrituras; bueno, en cualquier clase de escrituras y lecturas.

El grupo que dirigía el hermano Teban estaba integrado por cuatro labriegos, Tomás, Calixto, Saturnino y Juan; el conserje de la escuela, don Balbino; dos ayudantes de albañil, Chinto y Rodemiro; un chofer de taxi, Joaquín; Ismael, el guardián del mercado, y César, el repartidor de pan, todos recién convertidos.

El pastor había encomendado al hermano Esteban que le diera las instrucciones primarias a sus nuevos correligionarios los martes en las tardes, en vista de que aquél, además de su fervoroso celo religioso, disponía de tiempo suficiente y tenía más de un año de asistir a la iglesia evangélica de Tejutla, aunque carecía de apropiada formación teológica y su educación laica era muy deficiente.

Esa tarde, el reverendo Romualdo López esperó que se fueran todos los nuevos conversos para platicar con el hermano Esteban a solas.

—Me va a disculpar, hermanito Teban, que le haga una pregunta, pero tengo curiosidad por saber la razón que usted tiene de sacar al hermano César del grupo de estudio, cuando se inicia y se termina la reunión.

—Me extraña que lo pregunte, hermano Jeremías, siendo usted el pastor. Si lo hago así es porque es bíblico.

—¿Cómo va a ser bíblico sacar del grupo al hermano César?

—Lo hacemos cada vez que vamos a orar: al principio y al final de la reunión, porque así lo dice la Biblia, que oremos sin César.

—¡Ay, hermano, por Dios! El versículo 17 del capítulo 5 de la primera carta de San Pablo a los Tesalonicenses dice: «orad sin cesar», es decir, sin tregua, constantemente... sin tilde en la «e».

El carro

Mientras Oswaldo descendía de su carro por el lado izquierdo, Marco Romauldo lo hacía por el otro lado. A los dos les costó cerrar las desvencijadas portezuelas del carricoche, ignorándose si la pintura del vehículo estaba más deteriorada que el motor, o si los asientos estaban más viejos que los gastados neumáticos.

Como el sol del mediodía estaba en todo su apogeo y el vehículo lo habían estacionado en la calle, Maco se apresuró a buscar alivio bajo la sombra que ofrecía el alero de una casa, cuando se percató de que Oswaldo estaba afanado tratando de echarle llave a una de las portezuelas del destartalado automotor.

Al observar las maniobras de su amigo, Maco se le acercó y le espetó: —¿¡No me vas a decir que tenés miedo de que te roben este pichirilo!?

Oswaldo se le quedó viendo a los ojos y le respondió con mucha seriedad: ¡Desde luego que no! ¡Si le estoy echando llave no es porque crea que se lo vayan a robar, es para evitar que alguien se venga a cagar adentro!

CONVERSIÓN

La imagen que Vitelio tenía de Romualdo sufrió un brusco cambio ese mediodía. Desde hacía varios años siempre que Vitelio se topaba casual o fortuitamente con Romualdo en la calle lo veía sucio, mugriento. sin rasurar, el pelo grasiento, la ropa raída, los zapatos rotos. Hecho un desastre, en pocas palabras.

Cuando Vitelio atravesó la calle y subió a la acera, se tropezó y casi cae de bruces, de no ser por un hombre que lo detuvo en lo que iba a ser una vergonzosa caída.

—¡Gracias, muchas gracias! —exclamó Vitelio al mismo tiempo que levantó los ojos para mirar el rostro de quien le había evitado hacer el ridículo ante tanta gente que caminaba a esas horas por la transitada avenida, y de sufrir aunque sea un leve golpe a causa del porrazo.

—¡Romualdo, sos vos, Romualdo! —volvió a exclamar cuando reconoció en medio de tan singular limpieza corporal la cara y la figura de su viejo y despreocupado amigo.

No era para menos que Vitelio estuviera asombrado. Romualdo vestía un modesto y lustroso pero bien planchado traje azul perdido, una gastada y limpia camisa anaranjada, en cuyo pecho sobresalía una horrorosa corbata color chinga-la-vista, calzaba un par de lustrosos zapatos cafés y cargaba debajo del brazo izquierdo un libro negro. Fuera del vestuario, el rostro de Romualdo estaba rigurosamente rasurado, los dientes aseados, salvo dos que había perdido durante una hermosa gresca de cantina, cuando heroicamente intentó defender su mancillado y agonizante honor por el insulto que le profirió uno de sus compañeros de batalla etílica, al poner en duda los antecedentes de su madre.

Bueno, el asunto es que Romualdo exudaba hasta un olor a limpio, con el cabello cuidadosamente peinado, el aliento fresco y una tenue sonrisa amagaba con quitarle la tristeza de los ojos.

—¡Qué bueno verte, Romualdo! ¡Caramba, qué gusto me da verte así! ¡Qué cambiado estás!

—Gracias, Vitelio. Tenés razón, he cambiado mucho, ya no soy el mismo de antes, y es que he encontrado la verdad...

—Me alegra mucho verte así; hasta parecés otro. Por lo que veo has dejado de beber...

—Como te decía, ahora he encontrado lo que tanto buscaba...

—De verdad, Romualdo, que no me interesa mayor cosa lo que has encontrado; lo que me importa es que ya no bebás.

—Pues ya dejé la bebida, Vitelio, porque ahora soy evangélico...Mirá aquí tengo mi Biblia —y le mostró el libro negro que llevaba consigo bajo el brazo.

—Me alegro, también, si es que siendo evangélico no bebés.

Platicaron un rato más. Vitelio le preguntó a Romualdo por qué razón se encontraba por ese sector donde conversaban de pie, siendo que allí abundaban los bares de mala muerte, a lo que su amigo le dijo que intentaba llevar por el buen camino a sus antiguos compañeros de chupe. Se despidieron con un apretado abrazo, no sin antes prometerse mutuamente que se buscarían para rehacer la vieja amistad.

Alrededor de cuatro o cinco semanas habían transcurrido desde aquel feliz momento, cuando Vitelio tuvo necesidad de hacer algunas diligencias en un establecimiento ubicado precisamente por el sector donde encontró a Romualdo la vez anterior. Cabizbajo caminaba cuando, de repente, sintió que alguien le tocaba el hombro derecho. Detuvo el paso y volteó la cabeza. ¡No lo podía creer! Allí estaba Romualdo; pero no el de hace casi un mes, sino el Romualdo de antes. Otra vez andrajoso, barbado, la ropa sucia, la cara mugrienta, los ojos enrojecidos, la voz aguardentosa, el cuerpo tembloroso y la mano derecha extendida.

—¡Romualdo, por la gran puerca! ¿Qué te pasó, hombre?

—Callate, Vitelio –susurró–, ya soy ateo otra vez.

NAYO

Hacía cerca de un mes que no lo veía. Y eso que somos buenos amigos que nos visitamos constante y recíprocamente; pero ahora, por alguna razón que no entré a considerar, habíamos dejado de frecuentarnos.

Decidí pasar un rato a la casa donde vive.

Solterón empedernido a sus cuarenta y cinco años, fanfarrón y embustero por naturaleza y herencia, Nayo alquila un cuarto que tiene puerta a la calle, en la casa de don Tavo, allá por la 37 calle y 4a. avenida de la zona 3, cerca del Cementerio General.

La puerta estaba entornada, así que sólo empujé una de sus hojas y entré al cuarto. Estaba acostado panza arriba.

—Pasá adelante —me dijo, a la vez que se enderezaba. Se puso de pie y me dio la mano.

—Pensé que algo te había pasado, ayer llamé a tu trabajo y no me dieron razón de vos.

—Sólo esta semana no he ido a trabajar. Anteayer y ayer martes estuve en un cursillo en el INTE-CAP, y no me presentaré al trabajo hasta el lunes próximo.

—¿Te dieron permiso o estás de vacaciones?

—Ninguna de las dos cosas. Me dieron un diploma.

—¿Un diploma...?

—Es ese que está allí colgado de la pared. Leélo y vas a ver.

Me acerqué a la pared que me señalaba y, efectivamente, de un clavo pendía un pequeño marco que encuadraba un diploma, cubierto con un vidrio. Era una constancia del Instituto Técnico de Capacitación y Productividad que comprobaba que Bernardo Romualdo Reyes Alfaro había asistido a un cursillo sobre manejo y clasificación de herramientas propias del trabajo de mi trinquetero amigo, efectuado los días 9 y 10 de mayo.

—No veo la relación entre el diploma y tu holgazanería —le recriminé a Nayo.

—Me alegro, porque no te diste cuenta de lo que hice.

—¿Qué hiciste?

—Fijate que el diploma ese decía que el curso... bueno, el cursillo, tenía una duración de 10 horas, así, con números. Pues bien, yo le agregué un cero, de suerte que ahora dice 100 horas. ¿Te das cuenta que no tengo por qué regresar luego a mi trabajo? ¡Gente lista y chispuda como yo necesita Guatemala!

Esta vez no le dije nada. Pensé qué tan listo sería su jefe como para darse cuenta que por muy largas que sean las jornadas de un cursillo de capacitación, cien horas no caben en dos días, por muy astuto que sea Nayo. O por eficientes que sean los técnicos del INTECAP.

My Lord

Dos amigos que pedían la ayuda de Dios estaban sentados en una de las últimas bancas de la iglesia, mientras que la mayoría de los feligreses ocupaban los asientos más próximos al altar.

Roderico López era uno de ellos. De mediana estatura, moreno claro, pelo castaño, bigote bien recortado, ojos cafés. Era el director de la escuela primaria de allí, de Concepción Tutuapa, y le rogaba al Altísimo que le diera sabiduría para guiar a sus hijos y orientar a sus alumnos.

El otro era Romualdo Tzun Colop, un poco más bajo que Roderico, piel cetrina curtida por el sol, ojos pequeños, barbilampiño. Comerciante que eventualmente y cuando las circunstancias lo exigían se dedicaba al contrabando, aprovechando la cercanía de la frontera con México. Suplicaba un empujoncito de Dios.

Los dos oraban en silencio, salvo en algunos instantes cuando se les escapaban las palabras de los labios. Terminaron sus oraciones, se pusieron de pie y salieron de la iglesia. Ya en la calle comenzaron a caminar en silencio, hasta que Roderico le murmuró a Romualdo:

—Ignoraba que supieras hablar en inglés. Estoy muy impresionado que un indígena mam que no domina muy bien el español pueda orar en otro idioma que no sea el suyo; y que, además, me lo haya ocultado.

—¿Quién le ha dicho que yo sé hablar en inglés? —replicó molesto Romualdo.

—Yo te oí cuando orábamos en la iglesia, y tú, a veces musitabas «¡Help, my Lord... help, muy Lord!». ¿No es así?

—¡Ay, profesor, en lo que está usted! Yo sólo esas palabras sé en inglés, y es porque se las aprendí a aquel misionero que estuvo el año pasado aquí, y quien, cuando le pregunté su significado, me explicó que quería decir "ayúdame, Señor".

—¿Y por qué estabas clamando en inglés hoy, precisamente?

—¡Es que necesito dólares para comprar mi mercadería mexicana, profesor! ¡Trae más cuenta que comprarla con quetzales!

CUENTERETES

El líder

Desde pequeño supo que era zopilote. Así que su preparación académica, su alimentación y hasta sus amistades estuvieron en consonancia con su condición de buitre.

Nadie pudo prejuzgar su destino; de pequeño veían aquel polluelo amarillento, de andar vacilante, que vagabundeaba por las afueras de la ciudad esperando su alimentación, mientras sus padres remontaban el vuelo en busca de carroña.

Apenas tuvo competidores en los estudios. Siempre fue un ejemplo de disciplina y aprovechamiento. Sus padres, incluso, lo pusieron a estudiar idiomas extranjeros, porque en los vuelos más lejanos se relacionaría con zopilotes de otros países, los que, desde luego, hablan otras lenguas.

Creció y se hizo apto para el vuelo. Todos pensaron que se dedicaría al comercio, dada su vocación por los viajes más allá del horizonte. También se creyó que podría dedicarse a la enseñanza, por su carisma y facilidad de palabra. Hasta que podría ser cantante; pero su voz, guzgoza, no estaba para esos bemoles. Así que hacía uso de su verba para anunciar la noche, como le corresponde según mandato de los dioses zopilotes, y también para debatir los asuntos del día con sus congéneres.

Una mañana, cuando se encontraba despabilándose sobre una vieja pared, con las alas abiertas a la luz del sol, llegó a él un grupo de pajarracos de su laya, con los que fraternizó inmediatamente.

Uno de los recién llegados, de pico rojo y desmesuradamente largo, le dijo al oído: «Hemos venido a saludarte especialmente, para suplicarte que seas nuestro líder y nos representes en el congreso de avechuchos». Aceptó.

El congreso fue un éxito. Abundaron discursos, tragos y carroña.

Su palabra fue muy apreciada y lo eligieron presidente. Desde entonces se paró sobre la mejor pared del pueblo, con las alas extendidas, sin disposición para el vuelo, a donde sus amigos le traen comida, agua y lo que se le la gana. Es el nuevo jefe.

PATOS A LA NARANJA

—¡Se acabó el agua! ¡Se acabó el agua!, graznaba con insistencia, muy alarmado, el pato vigilante.

—Eso no puede ser —expresó con seriedad el pato de luenguas plumas—, se podrán acabar los ríos y los árboles, pero que no se acabe el agua.

—Por mi parte —dijo el pato de la izquierda presumida—, que se acabe el cielo, que nada tengo por esos lares; pero que no se termine el agua.

—Ustedes están locos, no saben lo que dicen —espetó con soberbia un pato que de tan derechista se salía del cuadro— siempre habrá agua, pues quedarme sin el preciado líquido es un atentado a mis derechos individuales.

—Yo —respondió el líder de la izquierda presumida— no tengo problemas. Me voy a la gran piscina popular que está al otro lado de la cortina de la niebla. Allá me esperan con los brazos abiertos. Con la ventaja de que en ese lugar no hay distinción de palmípedos. No hay diferencias burguesas entre cisnes, ganzos, patos y pijijes. Allá todos somos zambullidores.

—Buen viaje, pues –deseó el pato de luengas plumas–, yo me quedo en estas tierras. Voy a sembrar árboles y de las ramas amarraré el cielo. De esa manera no nos quedaremos sin nubes y sin agua.

—No se preocupen –dijo con altanería el pato de la derecha con tortícolis–, que le quitaremos el agua a los demás patos y viviremos tranquilos.

La discusión se estaba tornando demasiado acuosa, cuando llegó el dueño de la granja, tomó a los patos del pescuezo y mandó destazarlos.

Canto perdido

Soy un gallo. Ni modo. Se me nota. Y no voy a hablarles de mi brillante plumaje, ni de mi afilado espolón, ni de mi afamado canto mañanero, ni de mi reconocida ascendencia sobre las gallinas.

Nada les voy a hablar de mí. Y no lo haré por modestia. Sólo quiero contarles por qué estoy en este corral de cañas de milpa, esperando.

No sé si ustedes notaron cómo amaneció el jueves. ¡Qué maravilla de crepúsculo! ¡Nunca había visto una aurora más sonrosada!

¡Jamás había admirado los colores de un amanecer como el de ese jueves inolvidable!

Hoy es miércoles y sigo esperando. Claro que no es el miércoles anterior al jueves de marras. Éste es el miércoles siguiente, de la semana posterior, precisamente de la que estamos viviendo. Y sigo esperando.

Soy un gallo y le tengo aprecio a mi canto. No crean ustedes que yo canto para despertar a las buenas gentes. Ni a las malas. Mi kikirikí es una salutación al esplendor del día. A las gentes las quiero. Sobre todo a los niños. Pero mi canto, mi música particular, lo aprecio mucho. Es como la sombra de mi conciencia.

¿Y lo que espero? Pues, verán ustedes. Resulta que cuando ese jueves vino el alba más digna que pueda imaginarse, mi canto de salutación fue tan alto, tan largo, tan ancho, tan bello, según mi modesta opinión, que perdí el habla. Mejor dicho, perdí el canto.

Y es que dicen que cuando un gallo saluda al alba con un canto muy alto y muy bello, el dios del día se lo lleva para su regocijo particular. Y sólo lo devuelve justo al cumplirse una semana de habérselo llevado. Por eso estoy aquí, sobre este corral de caña de milpa, esperando que despunte el día de mañana. Lo que quiero es recobrar mi canto.

GARGOR

En la aldea había patos, chompipes, gallinas, palomas y otras aves. Aparte de zopilotes, pijijes, chacas y más pájaros que deambulan por los alrededores.

El río, al pasar por el paraje, formaba una poza que generalmente se encontraba calma y clara. Los patos y los pijijes bajaban casi volando y se zambullían para luego nadar airosamente, ante la mirada indiferente de las demás aves.

Uno de los chompipes, llamado Gargor, orgulloso y egoísta como todos los de su especie, se enamoró de una pata, lo que causó el natural revuelo en las demás aves y aun entre los pájaros de los alrededores. ¿Quién iba a pensar que un chompipe se enamorara de una pata?

Pero Gargor era ave rara. O diferente. Desde que vio a Coli —tal era el nombre de la pata— quedó malherido de amor. Y la pata no era insensible a los entusiasmos y requerimientos de Gargor. Así que lo retaba con la mirada, y, grácil, se zambullía en la poza, para nadar con no poca altanería, de una orilla a la otra.

El orgulloso chompipe desplegaba sus alas y sus plumas y armaba aquellos escándalos para llamar la atención de Coli. Pero no siempre lograba lo que se proponía.

Hasta que dispuso hacer lo imposible. Fue detrás de la pata y se metió de golpe al agua. Sólo se vieron pataletas, plumazos, aletazos y, finalmente, burbujas de aire que flotaban y explotaban en la superficie del agua.

Tibio y liso

Era domingo y se levantaron hasta bien entrada la mañana. Él, con desgano, se puso de pie y fue al baño. Ella aún se refocilaba entre las cobijas, cuando sintió algo tibio y liso que se deslizaba por sus piernas. Intrigada, levantó la ropa de dormir y se quedó pasmada.

Lo tocó con las manos. Aunque era muy pequeño no daba crédito a sus ojos ni a sus manos, ni a sus piernas, que habían visto y palpado aquello.

Con cierto apremio tomó la bata. Se levantó y fue a la cocina, dispuesta a preparar el desayuno.

El esposo notó inmediatamente, que ella era presa de nerviosisimo. No le dijo nada, pero la observaba con cautela. Y se entabló entre ambos un diálogo de miradas y gestos.

Hasta que ella no pudo contenerse y le dijo:

—Quiero que veas algo, difícil de entender. No sé cómo lo vas a tomar —agregó la señora con visible desasosiego—, pero te suplico no decirlo a nadie y ser comprensivo conmigo. Ven.

Se encaminaron al dormitorio. La señora levantó la ropa de dormir todavía desarreglada. Y ante la expectación del marido, allí, en la mitad de la cama,

tibio, liso, blanco, brillante, pequeño, estaba un
huevo de gallina.

EL REGRESO

En aquellos días de abril, claros y brillantes, no tenía más oídos que para esa canción que rebullía en mi mente y atormentaba mi corazón: Te fuiste sin dejarme un beso ni un adiós siquiera...

El pueblo se había quedado deshabitado sin ella. Cuántas veces fui a quedarme estático frente al camino por donde ella se había ido. Los solares en abril se adornaban de pequeña margaritas amarillas. Pero ella se había ido, sin decir adiós, sin dejarme una promesa. Había escuchado mis trémulas palabras y, quizá, los fuertes latidos que salían de mi pecho. Pero nada más...

Y ahora regresaba. Por el mismo sendero. Ya no había margaritas en los solares. Las hojas de la milpa se resecaban y las rojasiantas emblanquecían la vera del camino. Otra era la canción y no podía repetirla.

Otra vez el mismo anhelo. Otra vez la ilusión de estar a su lado y confesarle esas cosas que no pueden explicarse de ninguna manera.

Ahora que había regresado parecía que el pueblo era más grande, más claro, más acogedor.

Y logré de nuevo estar a su lado.

—Quiero que seas mi novia, alcancé a decirle.

Ella me miró fijamente, por un tiempo que consideré interminable. Sonreía. Y creo que pude tocar su respuesta: Tengo novio en la capital, pero mientras pasan los días de mis vacaciones, te voy a aceptar privisionalmente, como si hicieras un interinato.

EL SUEÑO DE LA FLAUTA

Despertó con la sensación de haber vivido en un mundo musical. Sus sueños estuvieron llenos de agradables armonías. Así que su primer impulso, al levantarse, fue interpretar alguna melodía con la flauta.

Se bañó, rasuró y vistió con rapidez, sin dejar de pensar en la flauta. Interpretar alguna melodía en este instrumento musical era una compulsión artística. Casi veía las notas que se elevaban al cielo al conjuro de su soplo. La boca y los dedos se le movían con extraño impulso, como si estuvieran en el acto supremo de la interpretación.

Ya tenía escogida, incluso, la primera tonada que brotaría del leve y alargado instrumento. ¿Recuerda usted aquella hermosa melodía «Llegarás a quererme»? Ya estaba preparado para el momento culminante: tomar la flauta y sacarle los sonidos más dulces.

Pero cayó en la cuenta que no tenía flauta. Y decidió comprar una, porque el impulso de la interpretación musical era incontenible.

Fue a comprar la flauta y regresó a su casa con una agradable sensación de alivio. Ya en su habitación desempacó el instrumento y lo colocó sobre la mesa de noche.

Se sentó en la cama. Veía la flauta y no daba crédito a sus ojos. Las manos le temblaban al tomarla con delicadeza.

Y se puso a sudar desmesuradamente. Su rostro palideció cuando reparó en algo trascendental, algo dramático, horrible. No sabía tocar flauta, ni ningún otro instrumento musical.

Neurosis

Romualdo padecía de pocos males. Pero esos pocos eran muy buenos. Unos leves dolores de cintura que de repente le ponían gris el día. O la noche.

Romualdo era muy despierto y no se le pasaba una. Su sabiduría abarcaba casi todo el conocimiento humano. Que no fuera decir usted algo de literatura porque le ofrecía una lección de preceptiva literaria. Lo que fuera, el autor que fuera, todo lo sabía.

Pero lo de los cólicos no se compara con su mal humor. Todo el día lo utilizaba en refunfuñar. Y como tenía mando se comportaba desconsiderado y descortés.

Por eso fue que, padeciendo una crisis estomacal, a una señora se le ocurrió preguntarle que tenía, y como lo que tenía a mano era un cuchillo, simplemente la decapitó. Por causa de la neurosis, dijo.

ROMUALDO

Conocí a Romualdo, a quien le decían Naldo, en un entierro. Fue al primer funeral que asistí. En el pueblo, cuando muere una persona, dicen: «Ya café-pan». Con lo cual parece quedar dicho todo. Y como todos nos conocemos la muerte de un miembro de la comunidad afecta a los demás.

Con Naldo nos hicimos amigos. Raras veces nos veíamos en un velorio. O si nos veíamos, siempre estábamos en corrillos diferentes, contando chistes o jugando naipes.

Fuimos acompañantes de cuanto entierro se llevó a cabo durante muchos años. Cargamos a Lipe, a Losho, a Ña Mita, a Fito Pashte, la Ritía, al Cabezón y tantos otros que se nos adelantaron en el viaje final.

Pasaron los años y yo sabía que en el funeral que fuera, allí vería a mi amigo Naldo. Y, como de costumbre, en el cementerio nos saludaríamos y platicaríamos algo del difunto. Posiblemente iríamos a «El último adiós» a echarnos un par de tragos en memoria del muerto.

Nuestros paisanos hacían comentarios no muy graciosos de nuestra supuesta afición a los entierros.

Pero con Romualdo creíamos cumplir con nuestro deber. Le íbamos a dar el pésame a los dolientes, a sabiendas que una pena compartida es media pena. Así fue como también perdí la cuenta de los entierros a los asistí con Naldo.

Por eso ahora me siento confundido. Voy en este entierro y no veo a Naldo y estoy seguro que él no me ve a mí. No logro comprender si llevamos a Naldo al cementerio. O me llevan a mí.

ÍNDICE

Breve epístola introductoria / 7

Cuentos
11

Compras a plazos / 13

Romualdo de parranda / 31

Boletos para el teatro / 45

Relevo en la madrugada / 61

Cuenterailes
71

Sacristán / 73

Anticonceptivos / 77

Desvelados / 81

Amantes / 84

Zapatos / 87

El pastor / 88

Los polocos / 89

Astronautas / 92

Pescadores / 95

Dios / 97

Chepe / 98

Tío Güicho / 100

Limosna / 102

César / 104

El carro / 106

Conversión / 107

Nayo / 110

My Lord / 112

Cuenteretes / 115

El líder / 117

Patos a la naranja / 119

Canto perdido / 121

Gargor / 123

Tibio y liso / 125

El regreso / 127

El sueño de la flauta / 129

Neurosis / 131

Romualdo / 133

Romualdo. Cuentos, cuenterailes y cuenteretes, de
Eduardo Villatoro, número 1 de la Colección *El Sombrerón*
se terminó de imprimir en el mes de julio de 2008.
F&G Editores, 31 avenida "C" 5-54 zona 7, Colonia
Centroamérica, 01007. Guatemala, Guatemala, C. A.
Telefax: (502) 2433 2361 Tel.: (502) 5406 0909
informacion@fygeditores.com www.fygeditores.com